Allí, Tamango, afamado guerrero y vendedor de hombres, ha vendido al capitán Ledoux una treintena de esclavos. El trato estuvo bien rociado de aguardiente. Y por la mañana, cuando Tamango se despertó entre vapores de alcohol, se dio cuenta que en un gesto de insensatez, propio de un borracho, había vendido una de sus esposas a Ledoux, precisamente a Ayché, su favorita...

¡Ay! El negrero había alzado velas y se disponía a hacerse a la mar. Loco de dolor y de cólera, Tamango saltó a una canoa, alcanzó el *Esperance*, trató de parlamentar.

Pero la ocasión era demasiado buena para un capitán negrero. Tamango, robusto, enérgico, estaba allí a su merced. Se vendería muy caro. Ledoux y sus hombres lo arrojaron al fondo de la bodega.

Una mañana, Tamango divisó a Ayché en el puente. Estaba lozana y se había convertido en la sirvienta del capitán Ledoux. A Tamango le dio un vuelco el corazón. Con el alma herida, pero con el semblante fiero, tan resuelto como cuando era un hombre libre, pasó cerca de Ayché sin mirarla. Sin embargo, ella, desesperada, suplicante, se arrojó a sus pies.

«Perdóname, Tamango, perdóname», dijo ella con desesperación. Tamango le clavó sus ojos largamente, durante un entero minuto; después, en un soplo: «¡Una lima!», le ordenó antes de que le agarraran sus guardianes. Al día siguiente, al pasar por su lado, Ayché le tiró una galleta, haciéndole una señal que sólo él comprendió. Dentro había una lima.

Poco a poco, Tamango consiguió limar sus hierros, luego los de sus compañeros. Los conjurados, unidos por un juramento solemne, habían establecido un plan. Los más decididos, con Tamango a la cabeza, se apoderarían de las armas de sus guardianes. Otros irían a la habitación del capitán para coger los fusiles que allí había...
Una mañana, todos los hierros estaban rotos.

Tamango lanzó un gran grito. La hora de la venganza había sonado. Los primeros en morir fueron el oficial de guardia y el contramaestre, que tenía las llaves de los hierros.

Entonces un tropel de negros inundó la cubierta. Los que no habían podido encontrar armas se batían a golpe de remo.

A mitad de la batalla, Ledoux, aún vivo, de pie, todo cubierto de la sangre de los negros que había matado, vio a Tamango. Comprendiendo que era el alma de la conjura, se precipitó sobre él, con el sable alzado, llamándole a grandes gritos. Tamango tenía un fusil por el extremo del cañón y lo utilizaba como si fuera una maza. Los dos jefes se alcanzaron en uno de los pasamanos, ese estrecho paso que comunica la popa a la proa. El sable se escapó de la desfallecida mano del capitán; Tamango se sentó y acribilló a golpes con redoblado ímpetu a su enemigo, ya medio muerto; luego se levantó y lanzó un grito prolongado de victoria. Hasta el último blanco fue hecho pedazos y arrojado al mar. Pero la historia no se terminó ahí.

Los negros no sabían maniobrar el buque. En una
falsa maniobra, rompieron los dos mástiles. Muertos
de miedo, se arrojaron en los botes de salvamento,
que, demasiado cargados, zozobraron. Los escasos
supervivientes que consiguieron volver al navío
morirían en los días siguientes. Algunas semanas más
tarde, un navío inglés que surcaba esas aguas divisó

en el mar un buque errante sin dirección, sin
mástiles, sin velamen. El único superviviente apenas si
tenía apariencia humana. Demacrado, agotado, casi
muerto. Estaba sentado a los pies del mástil
destrozado. Ya no hablaba, no se movía.
Era Tamango.

Extraído del cuento de
Próspero Merimée, *Tamango*

Jean Meyer nació el
11 de noviembre de
1924. Catedrático de
historia, se doctoró con
su tesis sobre *La
nobleza bretona en el
siglo XVIII*. Profesor
de historia moderna en
Rennes de 1966 a 1978,
actualmente, y desde
1978, es profesor de
historia en la Sorbona.

Título original: *Esclaves et négriers*

Traducción: Ruth Betegón
Coordinación: José Manuel Revuelta

© Gallimard
© Aguilar, S. A. de Ediciones, 1989,
   de la edición española.
   Juan Bravo, 38, 28006 Madrid.

ESCLAVOS
Y NEGREROS

Jean Meyer

AGUILAR UNIVERSAL

HISTORIA

En el siglo XV, un gigantesco tráfico se puso en marcha entre Europa, África y América. Durante cuatro siglos, entre doce y quince millones de hombres fueron transportados en el fondo de las bodegas, como mercancías, a través del océano Atlántico. Eran africanos, negros, cambiados en África por productos europeos a menudo insignificantes. Los comerciantes europeos que vivían de este tráfico recibían el nombre de «negreros».

CAPÍTULO PRIMERO
ANTES DE LOS NEGREROS

La larga marcha de hombres encadenados a través de la selva africana. Este grabado del siglo XVII muestra la primera etapa del «viaje» que, desde el siglo XV arrancaba de su África natal a los esclavos negros que los buques negreros transportaban a América. A la derecha, en un grabado del siglo XIX, un comerciante ata las muñecas de una esclava, como ya se hacía en la antigüedad.

En el curso del transporte marítimo murieron un millón y medio de negros (y unos trescientos o cuatrocientos mil miembros de la tripulación). No obstante, numerosos negreros realizaban negocios de oro.

En la antigüedad, los primeros esclavos fueron casi siempre blancos

La esclavitud es por lo menos tan antigua como los textos más viejos que han llegado a nuestras manos. Dos mil años antes de Cristo, en la civilización sumeria, se colocaba una anilla en la nariz de los esclavos, al igual que a los toros y los bueyes. Un esclavo pertenecía totalmente a su amo, que tenía sobre él todos los derechos, comprendido el de venderlo o matarlo. El esclavo estaba considerado como un animal doméstico o un mueble.

Los esclavos de la antigüedad eran la mayor parte de las veces blancos. Los esclavos griegos y romanos, por ejemplo, podían ser ciudadanos condenados a la esclavitud por un tribunal al no poder pagar sus deudas, prisioneros de guerra, o «bárbaros», es decir, pueblos que no hablaban el griego, vecinos según ellos menos «civilizados», mirados con un cierto desprecio por los griegos. Eran escasos los africanos entre estos esclavos. Los únicos que poseían esclavos negros eran los egipcios (pero no podían conseguir demasiados porque el Sahara era una barrera difícil de franquear) y más tarde también los cartagineses.

Todavía muy importante en el siglo II después de Cristo (en el apogeo del Imperio se estima que

En la Edad Media, como lo testimonian las ilustraciones superiores, la Europa mediterránea permaneció en contacto con el África negra. Es la leyenda del famoso Preste Juan, soberano cristiano que, según cierta tradición, habría reinado en Etiopía (otros hablan de «más allá de Armenia y de Persia»). Pero también, yendo a lo concreto, había esclavos negros tanto en Génova como en Venecia y en los puertos de España y Portugal. A la derecha, otra imagen medieval del africano: la efigie del rey mago negro, que se ve aquí representado en el panel central de la Natividad del gran pintor y grabador alemán Alberto Durero (1471-1528). Simboliza a la rama negra de la humanidad redimida por Cristo.

En la antigüedad, el esclavo negro era una mercancía rara, y por tanto modelo de inspiración para las obras de arte, como este bronce antiguo conservado en el museo del Louvre. Si bien el mundo antiguo aceptaba en su totalidad la esclavitud, la práctica difería según las zonas geográficas. En los imperios orientales la esclavitud afectaba a todas las etnias. En el mundo grecorromano, superados los siglos oscuros de la esclavitud por deudas, era escandaloso que un griego o un romano fuera esclavo.

había en Roma 400.000 esclavos para mantener a 20.000 ciudadanos, es decir veinte esclavos por ciuddano), en adelante el número de esclavos no dejaría de disminuir.

En la Edad Media la condición de los siervos, respecto de los esclavos a los que reemplazaron, era claramente mejor: el esclavo, en efecto, era propiedad de otro hombre, mientras que el siervo estaba simplemente ligado a la suerte de la tierra. Aún así, todavía se iba a buscar esclavos a las regiones eslavas, y cuando la orilla meridional del Mediterráneo fue conquistada por los musulmanes, se empezó a cogerlos en las tierras del norte de África.

Desde el final de la Edad Media hasta la época

Este grabado holandés de 1684 muestra el mercado de esclavos de Argel. Estos mercados norteafricanos ofrecían a la vez esclavos blancos, fruto de los saqueos efectuados por los corsarios a bordo de los navíos atacados, o raptados en las costas mediterráneas o en las llanuras del sur de Rusia, y esclavos negros, conducidos por las caravanas de camellos que hacían la travesía del Sahara.

de Luis XIV, las «chusmas» (remeros encadenados a sus bancos) de las galeras de los estados cristianos estaban compuestas por berberiscos, pueblos de la antigua Berbería, es decir del África septentrional. A su vez, los musulmanes vendían como esclavos a sus prisioneros cristianos, tratándose recíprocamente de «infieles». A inicios del siglo XVII había en total, entre Marruecos y Libia, de 200.000 a 300.000 esclavos cristianos en los puertos de África. Mientras que la esclavitud tendía a desaparecer en Europa, renacía en otras partes con las colonias y sus plantaciones resultantes de los grandes descubrimientos..

El desarrollo del comercio en el Mediterráneo tenía necesidad de brazos. Remar bajo el látigo y encadenado no era una situación envidiable; eran, por tanto, condenados por la justicia o esclavos los que constituían las «chusmas-motoras» (remeros de las galeras). La cristiandad se dirigía a los mercados de Génova o de Livorno, pero el principal proveedor de esclavos era Malta.

La esclavitud del Magreb a finales del siglo XVII se encontraba en declive, ya que fue entre 1600 y 1630 cuando la actuación de los corsarios conoció su apogeo. Estas correrías eran para el Islam un medio de proveerse de remeros, eunucos, mujeres y técnicos.

Dos visiones anacrónicas de la esclavitud, tal y como se la imaginaban a finales del siglo XIX. Dos grabados típicos en la línea de la «leyenda del buen negro». En la de arriba, los esclavos bailan y tocan instrumentos africanos. El instrumento de cuerda es un *molo* y el tambor un instrumento Yoruba, llamado *gudugudu*. El grabado de abajo es igualmente característico de esta visión antiespañola del «buen negro» propia del mundo anglosajón. Se considera que representa la explotación de unos placeres auríferos en las Antillas a principios del siglo XVI. Ahora bien, en esas fechas, los yacimientos de las Antillas ya se habían agotado y los indios Arawat, que habían sido obligados a trabajar allí, habían desaparecido. Por el contrario, en Brasil fueron esclavos negros los utilizados en las minas de oro de las mesetas a fines del siglo XVII y principios del XVIII. Hagamos de paso la observación que los blancos nunca fueron tan numerosos como para poder vigilar uno a uno a los esclavos.

La trata de negros en serio se inició cuando las potencias europeas necesitaron mano de obra para sus imperios coloniales.

En el siglo XV, durante sus expediciones marítimas, los portugueses siguieron la costa oeste de África, y para financiar sus viajes hicieron prisioneros a negros que luego revendían como esclavos.

Poco numerosos en un principio, estos esclavos se convirtieron en la principal «mercancía» y beneficiaron a América: su trabajo costaba, en efecto, menos que el de un blanco libre.

Supuso el nacimiento de un nuevo tipo de esclavitud y el inicio de la trata de negros y la fortuna de los negreros. Así comenzaba uno de los desplazamientos de población más importantes de la historia de la humanidad: la deportación de unos doce a quince millones de hombres y mujeres.

En el siglo XVI, los españoles y los portugueses, gracias a sus viajes de descubrimientos, consiguieron un importante imperio colonial. Más tarde serían Holanda, Gran Bretaña, Francia...

Todas estas potencias coloniales practicaban una política llamada mercantilismo: importar el mínimo de materias primas, exportar el máximo de productos manufacturados. Las colonias proporcionaban a la metrópoli lo que ellas no podían producir. Por ejemplo, las plantas que no se podían cultivar en grandes cantidades en el clima templado europeo, pero que crecían muy bien en el clima tropical americano: caña de azúcar, café, cacao, algodón, arroz, tabaco, índigo. Y ese clima lo soportaban mucho mejor los negros que los blancos...

En pocos años las plantaciones de caña de azúcar de las Canarias españolas, de Madeira y de las Azores vieron llegar a unos diez mil esclavos procedentes de Senegal, Mauritania y el golfo de Guinea.

Más tarde el fenómeno alcanzó a las islas portuguesas del golfo de Guinea: Santo Tomé, Fernando Poo, Príncipe se convirtieron durante un tiempo en los principales productores de azúcar del mundo. En un siglo absorbieron más de 75.000 negros de las costas africanas vecinas.

Hasta los inicios del siglo XVII, 300.000 esclavos procedentes de África fueron «descargados» en América, pero todavía salían caros y la travesía del Atlántico seguía siendo una proeza. En un siglo todo cambiaría.

Dos son las palabras que dominan la historia del hombre como mercancía: «esclavitud» y «trata». Estos términos aparecieron progresivamente. En latín antiguo el esclavo se denominaba servus, de donde deriva «servidor». Aún en nuestros días, en algunos países como Austria, se dice «servus» para dar los buenos días. En la Francia del Antiguo Régimen se saludaba con una inclinación y diciendo «servidor!» Incluso hoy día se dice a veces «servidor vuestro» para referirse a uno mismo. En la alta Edad Media mejoró la condición del esclavo rural. En la época merovingia se convirtió en siervo, establecido en una parcela: servus casatus (o siervo colocado). Hubo entonces que distinguirlo del esclavo de tipo tradicional que todavía subsistía. A este último se le llamaba slavus, luego sclavus, ya que en aquella época la mayoría de los esclavos del mundo occidental procedían de los pueblos eslavos de la Europa del este. La palabra «trata» deriva sencillamente del verbo tratar: negociar, convenir, traficar. Pronto se reservó el uso de la palabra para indicar el comercio de seres humanos: trata de negros.

El término negro, tomado del español o del portugués, pasó a ser empleado en otras lenguas a partir del siglo XVIII. La expresión «negrero» data de la misma época (1752), y designa aquel que practica la trata de negros.

Marchand d'Esclaves de Gorée

A partir de su segundo viaje, Cristóbal Colón condujo un cargamento de esclavos al continente americano. Sin embargo, fueron los portugueses quienes verdaderamente iniciaron el sistema: en el siglo XVI, para promover las plantaciones azucareras en Brasil, llevaron a cincuenta mil negros.
A continuación, en las Antillas se hizo otro tanto.

CAPÍTULO II
HACIA LA GRAN TRATA DE NEGROS

Gorea, islote situado en la bahía de Dakar, fue el centro de la trata francesa en Senegal. En este grabado destacan en primer plano los explotadores: el traficante blanco y el traficante negro, vestidos de pies a cabeza. En un segundo plano aparecen los dos esclavos negros, con un taparrabos como único atuendo, desnudez aún más llamativa por ir cargados de grilletes.

Después de los españoles, los franceses y los ingleses ocuparon poco a poco todas las islas. En el siglo XVI África libró 300.000 esclavos; en el siglo XVII, más de un millón y medio...

La gran plantación esclavista se instaló y perfeccionó en el siglo XVIII

La plantación esclavista adquirió cada vez más importancia entre Río de Janeiro, al sur, y la bahía de Chesapeake, al norte. La extraordinaria cifra de esclavos importados en América se elevó aún más en el siglo XVIII: más de seis millones y medio. En el norte, el sistema de gran plantación se beneficiaba de la emigración de la población blanca a las «trece colonias» inglesas, en las que el clima era bastante favorable. Sin embargo, en las islas el clima tropical era terriblemente duro: los *hurricanes* (así es como en inglés se designa a los huracanes muy violentos, a veces mortíferos, propios de la estación veraniega en las Antillas) hacían estragos regularmente, arrastrando todo a su paso. El del 12 de octubre de 1780 sopló a más de 250 Km/hora y produjo 7.000 muertes. El calor y la humedad constituyen un sistema ecológico muy favorable al desarrollo de microbios y virus, y por tanto a las epidemias. De este modo, en Guayana todos los intentos de instalación se saldaron, hasta el siglo XIX, con verdaderas hecatombes. Pero se consideraba que el negro se adaptaba mejor al clima y su «rentabilidad» parecía, por tanto, superior a la del blanco.

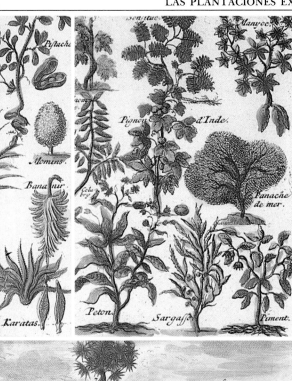

Extractos de la obra del padre Jean-Baptiste du Tertre, botánico y viajero francés del siglo XVIII; estas cuatro ilustraciones intentan representar la sorprendente belleza del Nuevo Mundo.

En alto, estos dos herbarios, a los que era muy aficionada la época, ponen de manifiesto la increíble novedad de la flora americana.

Abajo el contraste entre estos dos grabados es llamativo: a la izquierda se nos brinda una imagen idílica de las Antillas, con dos personajes que evocan a Adán y a Eva en un paraíso que al fin se ha convertido en terrestre. A la derecha se representa la realidad de la plantacioón azucarera, su trabajo forzado. El dibujante se ha preocupado de indicar los dos aspectos del trabajo semiindustrial de los esclavos. Así, en un segundo plano, se distingue el molino para la molienda de las cañas de azúcar recién cortadas, y en un primer plano los hornos utilizados para la cocción del jugo así obtenido.

LE COMMERCE TRIANGULAIRE

El tráfico triangular Europa-África-América comportaba muchas variantes. La trata realizada por los portugueses unía directamente el golfo de Guinea y Angola con Brasil: era la más corta y la más rápida, por tanto la más económica en capitales y hombres. En un principio los ingleses, holandeses y franceses iban a África a vender la pacotilla europea a cambio de esclavos que serían luego conducidos a América. Allí, los cambiaban por algo de dinero en metálico, por letras de cambio y sobre todo por productos tropicales que eran transportados y vendidos en Europa. La duración media de este circuito era de dieciocho meses.

A lo largo de los siglos XVII y XVIII, la jerarquía de las naciones que practicaban la trata evolucionó. Primero dominaron los ingleses y los holandeses. La trata francesa empezó tarde (1673) y a pequeña escala. Por el contrario en el siglo XVIII, Francia aventajó con mucho a Holanda y se convirtió, después de Inglaterra, en la segunda nación por tráfico de esclavos.

Varias pequeñas naciones también participaron, Suecia, Dinamarca; España y Portugal tuvieron un tráfico más débil. Brasil por último ocupó un puesto en auge y se convirtió durante un tiempo, a inicios del siglo XIX, en la primera nación mercante de «madera de ébano».

A la izquierda, grabado francés que muestra el rumbo predominante seguido por el tráfico triangular relacionado con el comercio de esclavos.

Café, tabaco, azúcar: los productos coloniales se pusieron de moda en Europa

En el siglo XVIII se desarrollaron en Europa nuevos gustos; los productos tropicales procedentes de las colonias se pusieron de moda: café, tabaco, azúcar; pero también, aunque con menor importancia, cacao, tintes vegetales, como el índigo, y más tarde algodón y arroz. Toda la sociedad, de la aristocracia al pueblo, fue conquistada por estas nuevas modas, a pesar de los precios en principio elevados, de estos productos que venían de tan lejos. El tabaco y el azúcar se abrieron paso de manera fulminante.

En poco tiempo las modas se convirtieron en costumbres y las costumbres en necesidades. En el siglo XVIII los europeos sentían pasión por el «desayuno a la parisina»... el café con leche azucarado.

Hacía falta café. Hacía falta azúcar. Eran necesarios, por tanto, más y más esclavos.

El comercio triangular: un «jugoso» negocio para las regiones

Un gigantesco tráfico se forjó en las aguas del Atlántico: era el famoso comercio triangular que incluía tres etapas.

Primera etapa: de Europa a África. Los negreros iban a buscar negros a la costa occidental de África, entre Gorea (pequeña isla frente a Dakar) y Mozambique. Allí los esclavos se cambiaban por productos europeos vendidos a los jefes de las tribus: lana, algodón, ron, aguardiente, barras de hierro, barriles de pólvora, fusiles y cuentas de cristal.

Segunda etapa: de África a América. Se transportaba a los esclavos en navíos para venderlos en el archipiélago antillano, en Brasil y en el sur de las «trece colonias» situadas en la costa este de los actuales Estados Unidos. Algunos llegaban hasta el imperio continental español: Méjico, Perú, Colombia, Venezuela.

Tercera etapa: de América a Europa. Una vez vendidos «sus» esclavos, los negreros volvían a Europa con las bodegas llenas de productos tropicales.

Beber chocolate se convirtió en la última moda en la Europa del siglo XVIII, como lo muestra esta pintura veneciana. Sin embargo, como señalaría el filósofo francés Voltaire, si bien el auge del consumo de café, azúcar, tabaco y chocolate caracterizaba el progreso de Europa, también era la razón de ser de la trata de esclavos...

Al contrario de lo que sucedía con el cultivo del tabaco, que era compatible con la pequeña propiedad blanca, el del azúcar exigía capitales enormes y una mano de obra muy abundante.

Arriba a la izquierda una planta de café.

En Santo Domingo, en 1789, existían 783 ingenios azucareros, 3.117 cafeteros, 3.151 de índigo y 789 de algodón. En alto a la derecha, la casa de los esclavos de Gorea, de un confort excepcional: la mayoría de los centros europeos para la trata en África eran mucho más rudimentarios.

Abalorios a cambio de «madera de ébano», «madera de ébano» a cambio de azúcar y café, azúcar y café a a cambio de dinero en metálico

De este modo el beneficio era triple: en África, en América y en Europa. En África se obtenían los cargamentos de «madera de ébano» (nombre púdico dado a los esclavos aludiendo al color negro de esta madera) a cambio de las mercancías llevadas desde Europa: cobre, quincallería, abalorios, armas, pólvora, y sobre todo una gran cantidad de telas fabricadas expresamente para el mercado africano. A esto se añadían cantidades importantes de aguardiente mezclado en más de la mitad con agua. A veces se completaba el cargamento de esclavos con algunos productos locales: goma, marfil, maderas preciosas. En estos trueques la moneda de cambio era el *cauris*, una concha de las islas Maldivas del océano Índico que servía de moneda en África desde la antigüedad.

Una vez llegados a América, los esclavos que habían sobrevivido a la travesía se vendían al mejor precio posible, en lotes llamados «piezas de Indias»: los negreros mezclaban esclavos sanos con esclavos enfermos para venderlos en bloque. En la compra raramente se utilizaba dinero sino sobre todo letras de cambio o productos tropicales, sirviendo como unidad de cuenta la «pieza de Indias». El negrero iniciaba entonces su viaje de regreso a Europa cargado de productos coloniales, tan apreciados en el viejo continente.

Francia no podía absorber todo el azúcar y café que llevaban a su vuelta los negreros, por lo que estos productos se reexpedían al resto de Europa, y sobre todo a los países del Norte (esencialmente a los bálticos) y a la

«No sé si el café y el azúcar son necesarios para la felicidad de Europa, pero sí que estoy seguro que estas dos plantas han hecho desgraciadas a dos partes del mundo. Han despoblado América para conseguir tierra donde cultivarlas; están despoblando África para tener una nación que las cultive».
Bernardin de Saint-Pierre, *Voyage à l'Ile-de-France.*

Europa central. De este modo el comercio de Francia en el siglo XVIII era muy excedentario: el café, por ejemplo, representaba un quinto del valor total de las exportaciones francesas. Era tremendo. Se alcanzaba el objetivo buscado por la política mercantilista: las colonias proveían a la metrópoli de un excedente de entradas que permitían ingresar oro y reforzar la moneda, ahorrando importaciones costosas.

Los beneficios del tráfico triangular no obstante aparecían sólo al final del viaje y, a veces, tardaban en realizarse varios años.

Al final, a veces algunos meses y años después de haber dejado Europa, los comerciantes hacían sus cuentas. Pocos de esos viajes acarreaban pérdidas: no más de un quince a un veinte por ciento.

En América las prácticas esclavistas eran anteriores a la trata de negros. Como lo recuerda este grabado antiespañol del siglo XVI, desde finales del siglo XV, los conquistadores sojuzgaban a los indios antillanos y a los de los altiplanos amerindios para utilizarlos en la explotación de los yacimientos auríferos. Las expediciones, de coste muy elevado, sólo se justificaban si a la vuelta transportaban una mercancía de gran valor. Cada uno debía financiar su sed de oro de alguna forma.

VUE DU CAP FRANÇAIS
ET
DU N.^{re} LA MARIE SERAPHIQUE DE NANTES
CAPITAINE GAUGY
LE JOUR DE L'OUVERTURE DE SA VENTE
TROISIEME VOYAGE D'ANGOLE

COUPE DU NAVIRE

La organización de una campaña negrera no era asunto fácil. El navío negrero recorría los mares y los océanos a menudo durante dos o tres años sin regresar a su puerto. Hacía falta un buen navío, una tripulación a toda prueba para conducirlo, y mercancías para el trueque: objetos de quincallería, bisutería y espejos de pacotilla, telas de algodón, armas... Pero sobre todo se requería un negociante firme.

Aquí aparece el buque negrero de Nantes, llamado *Marie-Seraphine*, a la altura de Cap-Français, puerto haitiano. En general se trataba de buques de comercio transformados. Pero también se construyeron navíos pensados para el tráfico triangular. Debajo de la acuarela un cuadro manuscrito proporciona la lista, la edad, el origen, y el valor de compra de los esclavos embarcados.

CAPÍTULO III
CAMINO DE ÁFRICA

¿Quién era ese hombre al que se imagina como un personaje odioso y despiadado, un tipo de pirata que se alimentaba de látigo y gritos? ¿Acaso no era necesario ser un monstruo desprovisto de toda sensibilidad, de todo sentimiento, para ser comerciante de carne humana?

¿«Cómitre, monstruo o comerciante valeroso? ¿A qué se parecía el que traficaba con negros?

Contrariamente a lo que se piensa, los traficantes de negros de los siglos XVII, XVIII y XIX no eran brutos salvajes, sino respetables burgueses de Nantes, de La Rochelle, de Bordeaux o de Marsella, en el caso de Francia, de Londres, de Bristol, de Copenhague o de Lisboa en el resto de Europa. Su origen era variado, ya que el comercio marítimo era entonces el medio ideal para enriquecerse y ascender socialmente. Y, era cierto, a menudo eran ricos, muy ricos.

Algunos hombres de negocios eran nobles, otros se ennoblecieron. Muchos comenzaron como simples capitanes de navío, como es el caso del padre de Chateaubriand. El escritor decía de él: «Pasó por las

Antes de embarcar los esclavos llegados a la orilla del mar eran examinados por el estado mayor del navío negrero y el cirujano hacía la selección sanitaria. Este grabado forma parte de la propaganda antiesclavista que se desarrollaría en Francia durante el periodo revolucionario.

Jean Baptiste Terrier (1756-1797) explotaba una plantación de café y una manufactura de algodón en Santo Domingo.

islas; se enriqueció en la colonia y sentó los cimientos de la nueva fortuna «familiar» *(Memorias de ultratumba)*.

Eran hombres serios, esposos honestos y buenos padres de familia. Y a menudo eran lectores de los filósofos que ensalzaban las virtudes del «buen salvaje», como el *Cándido* de Voltaire. Si se les reprochaba como cosa horrible el practicar la trata de negros, no comprendían bien la injuria. Ellos realizaban por encima de todo operaciones comerciales. Por lo demás, querían que se les llamara hombres de negocios y no comerciantes, ya que se dedicaban al comercio al por mayor y no al por menor, como hacían los comerciantes.

Europa se repartió el «pastel» africano

Para evitar los conflictos entre hombres de negocios de diferentes países europeos que practicaban la trata, se repartieron África por regiones o sectores, y cada país se apropió de una. Mientras tanto, los holandeses se habían implantado sólidamente por todas partes.

Francia, con su Compañía francesa de las Indias, se reservaba el monopolio de la trata entre Mauritania y Sierra Leona.

En la actual Costa de Marfil, los holandeses dominaban el tráfico de negros, con Costa de Oro como principal centro de la trata. En esta costa se alineaban veintitrés fuertes: trece holandeses, nueve ingleses y uno danés. Los franceses estaban excluidos de esta zona.

El segundo gran centro de la trata era la Costa de los Esclavos, que se corresponde con Ghana, Togo y Dahomey.

La zona comprendida entre la desembocadura del Ossé y Camerún, en la actual Nigeria, que era la parte más poblada del África negra, constituía el tercer gran centro del tráfico, disputado por ingleses y franceses.

Finalmente, el último gran centro que fue aumentando su importancia a mediados del siglo XVIII estaba formado por Loange y Angola.

A veces, los negreros se veían obligados, para completar la carga, a aprovisionarse en dos, o más raramente, en tres regiones. En el siglo XVIII descendieron cada vez más al sur porque las plazas tradicionales se agotaban. Algunos llegaron hasta Mozambique, en la costa oriental.

La buena conciencia de los negreros: pensaban que mediante la esclavitud «salvaban a los negros»

Todos los hombres de negocios tenían la conciencia tranquila. Hasta mediados del siglo XVIII la mentalidad general admitía la esclavitud como uno de los elementos indispensables en el gran comercio internacional.

Los tratantes justificaban así su comercio: la esclavitud existía ya en África y los propios negros o los mercaderes árabes vendían esclavos, era preferible que fueran los europeos quienes los compraran. Los negros, gracias a los europeos, accederían a la civilización, y ya no estarían expuestos a las continuas guerras internas de África. Por último, pero sobre todo, se les podría convertir al cristianismo y los más inteligentes se podrían emancipar.

Algunas regiones de África se convirtieron en escenario de verdaderas cazas al esclavo, como lo testimonia este grabado de fines del siglo XVIII. Resultado inevitable de la trata europea, esta práctica constituía el aspecto más costoso en vidas humanas. Las tribus amenazadas trataban de defenderse, y muchas aldeas se fortificaban levantando murallas de vegetación hechas con árboles y arbustos a veces venenosos. Algunas de estas fortificaciones subsisten aún, sobre todo en Camerún, si bien las autoridades coloniales ordenaron su destrucción a fines del siglo XIX

Los africanos no compartían esta opinión: con la esclavitud organizada por Europa, el interior de África, que hasta entonces no lo había sido, se hizo hostil a los blancos. Las vías transafricanas, tan bien trazadas en los mapas del siglo XV, desaparecieron para dar paso a la *terra incognita* del Gran Siglo.

Mientras tanto, para la opinión europea el negro se convirtió en objeto de desprecio, tratado en el mejor de los casos como un objeto o un niño grande. Europa se llenaba de un inmenso sentimiento de superioridad respecto de los «otros», como los griegos en relación a los «bárbaros». La tranquilidad de conciencia de

El señor Dubern de Nantes era un fabricante de telas estampadas, una de las principales mercancías del trueque: los tejidos representaban más de los dos tercios de los productos europeos exportados. En 1769, el contable del buque negrero *Pompée* anotó todas las compras efectuadas en África. La unidad de cuenta era la pieza de tela que correspondía a un conjunto de mercancías. Cada esclavo valía un número de piezas acorde con su edad, sexo, salud; los niños se tasaban según su talla. Estos documentos de contabilidad proporcionan el valor de hombres adultos sanos: uno había sido cambiado por un fusil y cuatro barriles de pólvora, con un balor total de cinco piezas; otro, por dos guineas (tejido de algodón rayado azul y blanco) y un limeneas (tejido no identificado), con un valor de diez piezas; también otro a cambio de aguardiente por valor de cuatro piezas y media.

los negreros era tal que Bryan Edwards, plantador y mercader inglés de fines del siglo XVIII, sostenía que los dueños de las plantaciones de las Indias occidentales «no tienen nada que ver con la manera en que se realiza la trata». Pero no era el único en escribir estas cosas. James Boswell, otro propietario de plantación, afirmaba por su parte que la esclavitud «salva a los negros de la masacre y de la intolerable servidumbre que habrían sufrido en su propio país y les permite gozar de una existencia mejor».

Richard Drake, hombre de negocios americano, se convirtió en el portavoz de todos los tratantes en negros cuando anotaba en su diario: «Leclerc y yo hemos tenido una discusión acerca del comercio africano. Él decía que le repugnaba y yo reconocía que a mí tampoco gustaba. Pero (...) hace falta que alguien se encargue de este comercio.»

Por otra parte, la trata contaba con el apoyo de los reyes, de los gobiernos y de las iglesias. ¿Quién podía decentemente reprochar a los negreros que hicieran su trabajo?

Carpintero, marinero, cocinero: esta serie de acuarelas inglesas de 1799 dan una idea de la composición de una tripulación de la época. Los trajes son los que se llevaban en el momento de partir, ya que en el curso de la travesía se transformaban rápidamente en harapos... Y ya se sabe la duración de los viajes del comercio triangular. Sólo el estado mayor disponía de trajes suficientes como para poder cambiarse en repetidas ocasiones. La mortalidad de estas tripulaciones era elevada, aún mayor que la de la «carga» transportada.

El papel del capitán era esencial: de su habilidad en negociar dependía el éxito de la empresa

Un buen capitán debía tener cualidades excepcionales: una gran habilidad en negociar con los mercaderes negros, verdaderos conocimientos de gestión, a la par que un saber profundo sobre las cosas de la mar. De la valía del capitán dependía muy a menudo el éxito de la empresa.

Una vez escogido el capitán, el hombre de negocios escogía al resto de la tripulación: oficiales mayores, cirujano, maestro de equipaje, tonelero, carpintero, cocinero y, por último, los marineros. En total de unos treinta y cinco a cincuenta hombre.

A continuación, el negrero almacenaba en los flancos de su navío el material y los útiles que necesitarían los especialistas durante el viaje: madera, clavos, cuerdas, alquitrán, cadenas, esposas, cajas de utensilios de cirugía, armas, caldera de cocina...; y los víveres: guisantes, habas, arroz y vinagre, para los esclavos; salazones de vaca, cerdo y bacalao, galletas, vino, alcohol, para los marineros; víveres frescos, legumbres, patos, ocas, pavos, pollos, corderos, dulces y también vinos, para los oficiales.

La tripulación de un navío negrero, el *Africain*: total de 36 personas, repartidas en 6 grupos:
8 oficiales mayores con el capitán;
3 lugartenientes, el cirujano, 2 alféreces o aprendices de piloto;
3 oficiales marineros de los cuales un jefe de tripulación, un maestro de obra y un patrón de chalupa;
3 oficiales no marinos de los cuales un cocinero, un panadero y un armero;
12 marineros, a veces más;
8 aprendices;
2 grumetes.

Los *West India docks,* en el puerto de Londres, en el siglo XIX: arrimados al muelle, los grandes veleros de tres palos sueltan su cargamento, antes de recibir una nueva carga y partir hacia los mares cálidos. El cargarlos ocupa un cierto tiempo: además de todas las mercancías para el trueque, es necesario aprovisionarse de piezas para la arboladura y el velamen, estibar víveres y agua, cuya conservación en toneles de 900 litros y en barricas de 180 litros, en la atmósfera húmeda de la bodega, está sometida a la vigilancia de toda la tripulación. Bosque de palos, bullicio humano, todo ello indicaba la pujanza naval de la Inglaterra de la revolución industrial. En la parte delantera de los navíos la figura de proa, estatua de madera que haría frente a las olas; en los flancos, una importante artillería. Los buques negreros disponían de unos 20 ó 25 cañones para protegerse de los ataques de los piratas marroquíes, y sobre todo de los perpetrados a lo largo de las costas africanas por otros negreros o por negros.

«En nombre de Dios y de la Santa Virgen dé comienzo el presente diario de navegación»: dentro de pocas horas la gran partida...

El buque negrero estaba dispuesto a levar anclas. En su cabina el capitán abría el diario de a bordo en el que, día tras día, anotaría todos los detalles de la travesía. En la primera página escribía: «En nombre de Dios y de la Santa Virgen, dé comienzo el presente diario de navegación.» Durante los primeros días, algunas sorpresas podían perturbar la vida del negrero: uno o dos grumetes o marineros faltaban a la hora de pasar lista, o por el contrario uno o dos se habían embarcado de polizones, atraídos por lo desconocido o empujados por la miseria... Probablemente esos adolescentes que a veces no llegaban a los catorce años, se arrepintieran: tres horas de sueño a lo largo de las veinticuatro horas, acostados en el puente en un mismo colchón viejo; cada mañana limpieza de la cubierta; tristes comidas, siempre las mismas: habas, arroz con tocino algunas veces, los días de fiesta.

La vida a bordo se organizaba. El capitán leía y releía las instrucciones que el comerciante le había mandado: el número de esclavos que tenía que comprar, la ruta a seguir, las costas africanas donde debía recalar y comprar los negros, el precio máximo que estaba dispuesto a pagar. Pero también lo que tenían que comer los cautivos, las consignas relativas a la higiene y a la disciplina, para que ninguna enfermedad diezmara el rebaño de futuros esclavos.

En poco tiempo el navío salido de El Havre, Burdeos, La Rochelle o Nantes navegaba a lo largo de las costas españolas y portuguesas. Luego entraba en alta mar, se aproximaba a las costas africanas, y un buen día avistaba el islote de Gorea, frente a Dakar.

El navío avanzaba entonces lentamente, a intervalos regulares, echaba la sonda al mar. Cuando la volvían a subir, toda llena de arena y cieno, la alegría explotaba, pero la prudencia se redoblaba. No era cuestión de ir a estrellar la roda contra un arrecife o encallar en un banco de arena.

La llegada a África: en la Costa de los Esclavos se iniciaban largas negociaciones entre el capitán y el rey africano

Cuando el navío se aproximaba a la costa africana comenzaba por disparar una salva de golpes de

La trata sólo evitaba las regiones inhóspitas donde los desiertos (Sahara, al norte, Kalahari, al sur) y la selva virgen impenetrable impedían la explotación negrera. Las orillas del Senegal y de Gambia fueron las primeras en visitarse, luego las de Sierra Leona. Estas regiones se fueron abandonando, por no ser demasiado «productivas» a favor de la Costa de Marfil y de la Costa de Oro, donde la sabana rodeada de una estrecha banda de bosque litoral proporcionaba en abundancia hombres y polvo de oro. Sin embargo fue la región correspondiente a la actual Nigeria, aún más al este, la que pagó a la trata su tributo más pesado. Atrajo a los negreros debido a su fuerte densidad demográfica y a la reputación de sus indígenas como esclavos, más apreciados que los Congos del sur, considerados muy apáticos.

En la página de al lado, grabado francés que indica las regiones costeras de África occidental de mayor y menor «productividad» para los negreros. En blanco y negro, sectores donde no había trata (desiertos o selvas); en amarillo, los sectores dominantes desde el s. XVI a 1750; en azul, los sectores dominantes a partir de 1750.

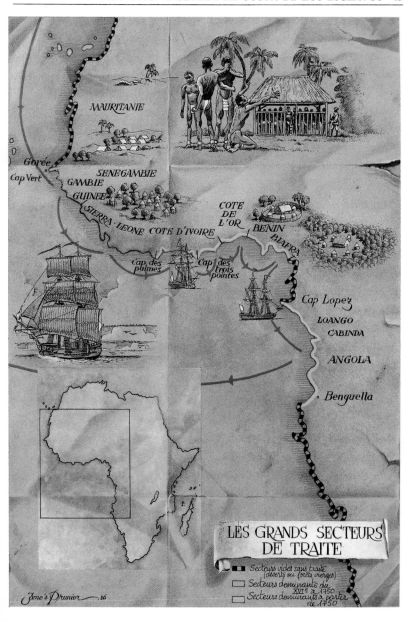

MAURITANIE

Gorée
Cap Vert
SENEGAMBIE
GAMBIE
GUINEE
SIERRA-LEONE COTE D'IVOIRE
COTE DE L'OR
BENIN
BIAFRA

Cap des palmes
Cap des trois pointes

Cap Lopez
LOANGO
CABINDA
ANGOLA
Benguella

LES GRANDS SECTEURS DE TRAITE

◼ Secteurs vides sans traite (déserts ou forêts vierges)
☐ Secteurs dominants du XVIᵉ à 1750
☐ Secteurs dominants à partir de 1750

Jame's Prunier 86

ALKEMY, ROY DE LA GVINÉE ... est un des plus puissants monarque de
l'Afrique, il peut marcher à la teste de qua... tre cens mille homes, la Ville d'Ardra sa
capital est extrem.^t forte, est a 12. lieües de... la mer, le Palais du Roy y est assés artiste-
ment basty, il envoya une célèbre Am-... bassade à Louis le grand, en 1670. pour
l'etablissem.^t du comerce auec les Fran-... çois et une protection toutes particulier
pour les vaisseaux du Roy.

Paris Chez F. Iollain l'ainé rue s.^t Iacque a la ville de
Cologne

cañón en homenaje a la autoridad del jefe local. Se echaba al ancla. Al día siguiente, el capitán y uno o dos de sus oficiales se embarcaban en una canoa para visitar al rey africano local. Cuando desembarcaban, el *yavogan,* ministro de comercio con los blancos, recibía al comandante del buque. Todos se dirigían al palacio, residencia a veces lujosa, dividida en varios edificios. Allí estaba el rey, echado sobre una cama donde fumaba, rodeado de sus principales consejeros y de algunas de sus mujeres.

El capitán se presentaba, recordaba que era un súbdito del rey de Francia, entregaba al africano los obsequios que le había llevado: aguardiente, mantos ribeteados de oro, tricornio con plumas, sombrillas de vivos colores con franjas doradas.

En seguida se abordaban los temas serios. Se

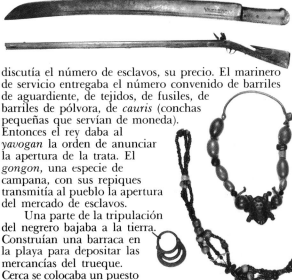

A la izquierda, Alkémy «rey de Guinea é, uno de los más poderosos monarcas de África, puede ir a la cabeza de cuatrocientos mil hombres...». El retrato de este rey testimoniaba, en efecto, la extrema riqueza de los reyes africanos. Los objetos de la trata constituían la moneda de cambio entre ellos y los comerciantes. Eran particularmente apreciados los fusiles y los collares de cuentas de vidrio.

discutía el número de esclavos, su precio. El marinero de servicio entregaba el número convenido de barriles de aguardiente, de tejidos, de fusiles, de barriles de pólvora, de *cauris* (conchas pequeñas que servían de moneda). Entonces el rey daba al *yavogan* la orden de anunciar la apertura de la trata. El *gongon,* una especie de campana, con sus repiques transmitía al pueblo la apertura del mercado de esclavos.

Una parte de la tripulación del negrero bajaba a la tierra. Construían una barraca en la playa para depositar las mercancías del trueque. Cerca se colocaba un puesto destinado a un tipo de mercancía muy distinto: los cautivos que se disponían a poner a la venta. Era allí donde tendría lugar la transacción que podía, por otra parte, alargarse mucho. Los soberanos africanos utilizaban hábilmente la competencia entre europeos para elevar precios.

Largas filas de hombres encadenados: los esclavos llegaban de lejos, conducidos por un mercader. Habían caminado días y días...

Los esclavos llegaban formando largas filas, como si se tratase de ganado humano, con el cuello aprisionado por una especie de horquillas de madera. Eran guiados por un agente negro o por un mercader árabe. El mercader iba en cabeza, llevando en su hombro el mango de la horquilla del primer prisionero. Asimismo cada esclavo llevaba sobre su hombro el mango de la horquilla del que le seguía. Si el mercader quería parar la cadena, dejaba caer la pieza de madera que apoyaba sobre su hombro de modo que el primer cautivo se veía obligado a detenerse y con él todos los demás.

¿De dónde venían estos hombres y mujeres con aire despavorido, abocados a tan terrible suerte? La fuente principal era la guerra, o mejor dicho las razzias. Una tribu atacaba a otra, se abatía de improviso sobre aldeas dormidas. Se llevaba a todos los que no mataban, rodeados de guerreros empuñando el arma: los prisioneros eran conducidos a la costa para venderlos.

En segundo lugar venían los condenados por crimen, robo, deudas, rapto, etc. A veces incluso familias completas sin recursos, muertas de hambre, se ofrecían como esclavos a un amo que a cambio las alimentaría.

Los mercaderes negros o árabes recorrían las tierras, a menudo a muchos centenares de kilómetros de la costa, sus caravanas de esclavos afluían a las radas negreras donde fondeaban las prisiones flotantes de los europeos.

En el curso de una verdadera «feria de esclavos», cada negro era examinado, escrutado, medido, pesado, palpado...

Al final llegaban a la costa donde esperaban agentes y capitanes. La muchedumbre atemorizada entraba en el patio del establecimiento. Se cerraba la puerta y comenzaba el examen anatómico.

Agrupados en lotes de tres o cuatro, los esclavos, hombres y mujeres, estaban desnudos. El comprador blanco examinaba con cuidado la boca, los ojos de cada esclavo. Un esclavo en mal estado valía más barato: se hacía rebaja por una nube en un ojo y por cada diente que faltara. Se hacía a los esclavos correr, saltar, hablar, mover brazos y piernas. Como si fuera un traficante de ganado, el capitán intentaba

Este grabado del siglo XIX muestra una imagen sobrecogedora de la esclavitud: la cadena de esclavos sujetos por el cuello, con las manos atadas a la horquilla, se destaca sobre el horizonte. Esta larga marcha, al precio de fuertes pérdidas, terminaba en los puestos de venta de la costa.

La representación del puesto de trata inglés *Cape Coast Castle,* parece muy idealizada. Si bien la mayor parte de estos puestos eran verdaderas fortalezas —siguiendo el modelo de *Al Mina,* puesto portugués llamado así en recuerdo de las llegadas de oro de las minas—, otras eran sencillamente de madera. Alrededor de estos fuertes se desarrollaban pequeñas aglomeraciones muy dispares.

rastrear las imperfecciones, los síntomas de enfermedades tales como úlcera, sarna, escorbuto, lombrices. Si el esclavo no presentaba ninguna malformación, ningún indicio de enfermedad, si no era ni demasiado viejo, ni demasiado joven, era elegido para el temible viaje hacia América.

Entonces se iniciaba con el mercader de esclavos la famosa discusión sobre los precios que podía ser larga. Los reyes negros impusieron progresivamente normas más exigentes tanto en cantidad cuanto en calidad para los productos de intercambio. Tanto es así que en 1772 los comerciantes de Nantes se quejaban de que los esclavos les costaban el doble de lo que valían diecisiete años antes.

Por último, cuando el trato se había cerrado, el lote de esclavos, encadenados por las muñecas, era embarcado al alba en las lanchas. En seguida alcanzaban el casco del navío y se les desencadenaba para que pudieran trepar por la escalera de mano que caía hasta la superficie del agua.

Los hombres eran conducidos hacia la parte delantera del barco. Se encadenaba a los más fuertes de dos en dos por el tobillo. Las mujeres y los niños eran amontonados en la parte de atrás.

El guerrero negro, armado con su fusil de la trata, vestido con su paño, conduce al esclavo desnudo y enganchado por el cuello hacia el lugar de concentración de la caravana. Las rutas terrestres de la esclavitud eran a menudo largas (de 100 a 200 km) y la muerte las jalonaba. Han dejado huellas en la memoria colectiva africana, en los informes escritos, pero también los historiadores pueden hoy reconstruirlas a partir de las semillas de plantas de origen americano llevadas allí por los negreros. Se han conservado muchos instrumentos de esclavitud: collares para el cuello, esclavas (brazaletes para encadenar las muñecas), trabas para los pies, candados y llaves.

El buque negrero barría las costas de África. En cada parada compraba nuevos esclavos. Al cabo de algunos meses el navío estaba atestado

El capitán vivía sobre ascuas. Tenía prisa por terminar. Cuanto más se eternizaba un negrero en una rada, había más posibilidades de que las amenazas que le acechaban se convirtieran en realidad: enfermedades tropicales, epidemias, suicidios de negros que se ahogaban o se arrojaban a la boca de los tiburones que giraban en torno al barco, conflictos entre negros de diferentes tribus, o entre negros y blancos.

La trata duraba de tres a seis meses, durante los cuales el negrero iba de rada en rada, «acogiendo» lotes de esclavos en cada punto de la costa africana.

Todo capitán sabía que resultaba peligroso entretenerse cerca de las costas de África. Desesperados los negros al ver acercarse la hora en que se separarían definitivamente de su país natal, existía el riesgo de una revuelta. Y la amenaza podía llegar también de tierra firme: el resto de la tribu podía intentar un ataque al buque negrero para liberar a sus miembros prisioneros. Por esta razón, el capitán apresuraba las últimas recogidas y, en el momento en que su cargamento humano estaba al completo, enfilaba hacia América.

Caza al hombre en la maleza

La mayoría de los esclavos se capturaban en el curso de *razzias* en aldeas africanas: cercos, incendios, muertes, todo servía para hacer prisioneros, a pesar de la resistencia de los aldeanos.

A veces, algunas aldeas, sobre aviso por ciertos indicios o por sus espías, estaban en guardia y trataban de organizar la resistencia. Empezaban por evacuar sus chozas, rodeándolas de un amplio círculo de fuego cuando el enemigo se aproximaba: los incendios atizados en la maleza les cortaban toda retirada y morían asfixiados. A menudo envenenaban las fuentes de antemano o hacían comer a los animales una alimentación especial que convertía en mortal su carne para todo el que la tocara.

Pero un buen día, cuando la vigilancia se relajaba, ya que la población creía que no tenía nada que temer, una banda de demonios saliendo de las tinieblas al son del tambor pasaba todo a fuego y sangre. En 1844 otra aldea fue destruida.

El calvario de los prisioneros negros

Las mujeres cautivas eran tratadas con algo menos de crueldad que los hombres; aquí, encadenadas pero sin grilletes en los pies, eran conducidas a la costa, cargadas con el material de los mercaderes. Un viaje de pesadilla preludiaba la travesía a América, según narra lord Palmerson en sus relatos sobre la trata: «Una vez hechos prisioneros, se procede a su selección. Los individuos robustos de ambos sexos y los niños a partir de seis o siete años son puestos a un lado para formar la caravana que ha de dirigirse a la costa. Se desembarazan de los menores de seis años degollándolos; abandonan a viejos y enfermos, condenándolos a morir de hambre. Se pone en marcha lo antes posible a los prisioneros, hombres, mujeres y niños, que prácticamente desnudos y sin nada que les proteja los pies, atraviesan las arenas ardientes y los desfiladeros rocosos de los montes africanos. Se estimula a los débiles a golpe de látigo: se asegura a los más fuertes atándolos juntos con cadenas o colocándoles un yugo.»

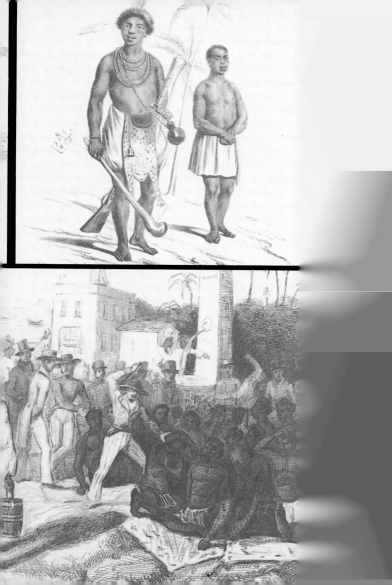

Temida, temible, la travesía del Atlántico en un navío negrero merecía su reputación. Las cifras hablan por sí mismas: de unos doce o quince millones de negros transportados durante todo el período de la trata, murieron en ruta de un millón y medio a dos millones. La travesía del Atlántico en un buque negrero significaba varios meses de viaje en unas condiciones de hacinamiento y de falta de higiene espantosas.

CAPÍTULO IV
LA TERRIBLE TRAVESÌA

Conservar las condiciones físicas de los esclavos a pesar de las condiciones abominables del viaje era una preocupación para el negrero. Asimismo era una necesidad vital hacerles bailar. Algunos miembros de la tripulación formaban una orquesta (los bretones eran muy apreciados en este trabajo). Si algunos se mostraban reticentes, ¡era el látigo el que marcaba el compás!

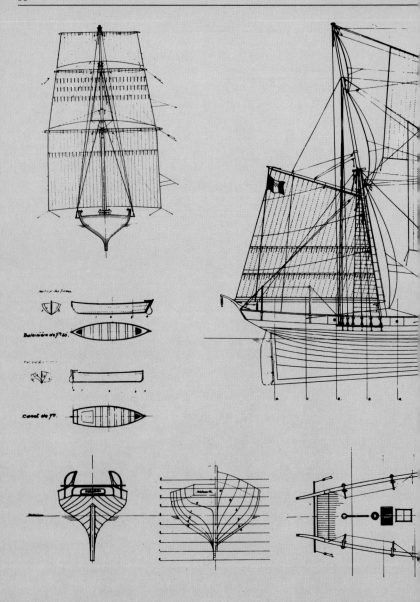

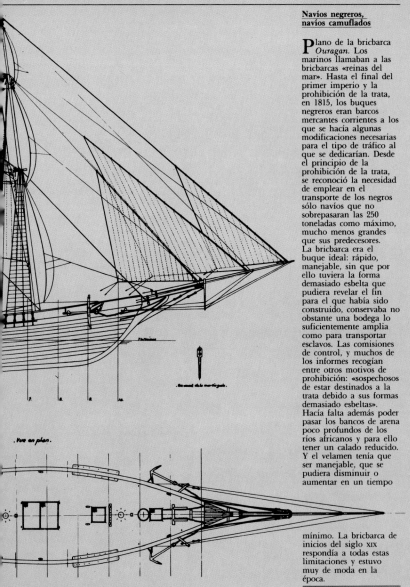

. Plathines .

. Vue en plan .

Plano de la bricbarca *Ouragan*. Los marinos llamaban a las bricbarcas «reinas del mar». Hasta el final del primer imperio y la prohibición de la trata, en 1815, los buques negreros eran barcos mercantes corrientes a los que se hacía algunas modificaciones necesarias para el tipo de tráfico al que se dedicarían. Desde el principio de la prohibición de la trata, se reconoció la necesidad de emplear en el transporte de los negros sólo navíos que no sobrepasaran las 250 toneladas como máximo, mucho menos grandes que sus predecesores. La bricbarca era el buque ideal: rápido, manejable, sin que por ello tuviera la forma demasiado esbelta que pudiera revelar el fin para el que había sido construido, conservaba no obstante una bodega lo suficientemente amplia como para transportar esclavos. Las comisiones de control, y muchos de los informes recogían entre otros motivos de prohibición: «sospechosos de estar destinados a la trata debido a sus formas demasiado esbeltas». Hacía falta además poder pasar los bancos de arena poco profundos de los ríos africanos y para ello tener un calado reducido. Y el velamen tenía que ser manejable, que se pudiera disminuir o aumentar en un tiempo

mínimo. La bricbarca de inicios del siglo XIX respondía a todas estas limitaciones y estuvo muy de moda en la época.

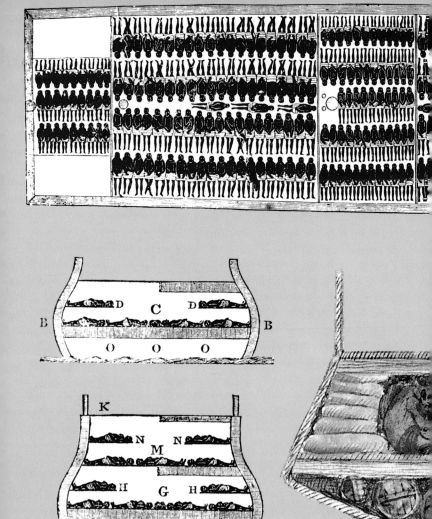

Esclavos en lata

Antes de proceder al embarque de los esclavos, el carpintero de a bordo tenía que acondicionar las bodegas para los esclavos. Estas se encontraban entre el puente superior y el puente inferior. Este espacio podía tener desde 1,20 metros de altura para un buque negrero de Newport, hasta 1,50 metros en el caso de un negrero europeo. La mayor parte de los negreros holandeses habían sido especialmente pensados para el transporte de esclavos; además tenían la «ventaja» de ser anchos, altos, ventilados, gracias a las claraboyas y a las escotillas. La estiba de los esclavos a bordo estaba estudiada de manera que se pudiera cargar el mayor número posible. Teófilo Conneau, en 1854, lo relataba de este modo: «Dos de los oficiales estaban encargados de estibar a los hombres. Al ponerse el sol, el lugarteniente y su segundo de a bordo descendían, látigo en mano, y colocaban en sus sitios a los negros por la noche. Los que estaban en estribor se disponían como las cucharas, según un dicho, vueltos hacia adelante y encajándose el uno en el otro. A babor, iban vueltos hacia atrás. Se consideraba preferible esta posición, ya que dejaba que el corazón latiera más libremente.»

En las profundidades de la bodega

Despojados de sus vestimentas, sometidos por el cirujano del barco a examen médico completo y humillante, con el pecho marcado al rojo vivo, los esclavos eran encadenados y arrojados al fondo de la bodega. Ésta a menudo estaba dividida en minúsculos compartimentos, separados entre ellos por planchas. Por supuesto no se podían tumbar; no tenían casi vestimenta: sólo uno o dos metros de tela para taparse los riñones. Algunos tenían un trozo de tejido o un pañuelo anudado alrededor de la cabeza. Las mujeres y los niños tenían derecho a circular a bordo durante el día. Una media hora antes de la puesta del sol, se reintegraban a sus recintos después de haber sido minuciosamente registrados para asegurarse que no habían robado ningún objeto que pudiera servirles para desembarazarse de sus grilletes.

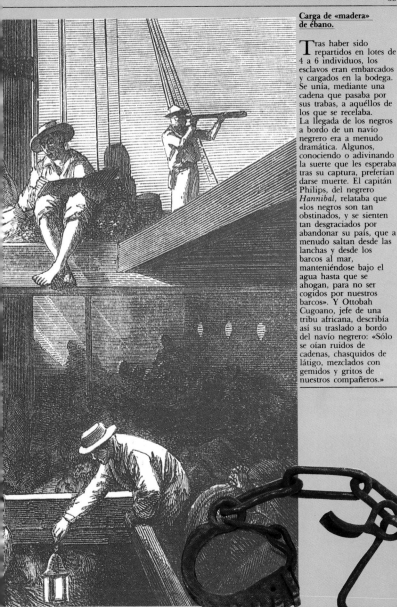

Carga de «madera» de ébano.

Tras haber sido repartidos en lotes de 4 a 6 individuos, los esclavos eran embarcados y cargados en la bodega. Se unía, mediante una cadena que pasaba por sus trabas, a aquéllos de los que se recelaba.

La llegada de los negros a bordo de un navío negrero era a menudo dramática. Algunos, conociendo o adivinando la suerte que les esperaba tras su captura, preferían darse muerte. El capitán Philips, del negrero *Hannibal*, relataba que «los negros son tan obstinados, y se sienten tan desgraciados por abandonar su país, que a menudo saltan desde las lanchas y desde los barcos al mar, manteniéndose bajo el agua hasta que se ahogan, para no ser cogidos por nuestros barcos». Y Ottobah Cugoano, jefe de una tribu africana, describía así su traslado a bordo del navío negrero: «Sólo se oían ruidos de cadenas, chasquidos de látigo, mezclados con gemidos y gritos de nuestros compañeros.»

Unas veces relativamente tranquilo, otras dramático, cada viaje era diferente, pero era rara la travesía en que morían menos de diez negros por cada cien.

Un mundo de campo de concentración a bordo del navío negrero: los esclavos vivían en condiciones espantosas

El amontonamiento era inhumano en los navíos negreros. Los capitanes a menudo embarcaban el doble del número de esclavos que el barco podía transportar. Apilados en los depósitos como pescados secos, era fácil encontrar a 600 esclavos en un navío censado con una capacidad de 450.

Los esclavos iban completamente desnudos para evitar los parásitos. Al menos dos veces por semana, se regaba en el puente a todo el cargamento humano en una gran ducha colectiva. Y cada quince días se les afeitaba el cráneo para que los piojos no proliferaran en las rizadas cabelleras. Los hombres llevaban una marca en el pecho y en la espalda y estaban encadenados de dos en dos por la

Los esclavos estaban marcados a fuego, lo que permitía a los traficantes identificar a sus esclavos cuando el cargamento pertenecía a varios mercaderes. Guillermo Bosman, viajero holandés, contaba: «Esto parece sin duda cruel y bárbaro, pero es necesario hacerlo; ahora bien, tenemos cuidado de no hundir demasiado el hierro y, sobre todo, en el caso de las mujeres, que son generalmente las más delicadas.»

muñeca y el tobillo. Las mujeres estaban separadas de
los hombres y llevaban un taparrabos. Por la noche se
encadenaba a los esclavos por los brazos y no por los
pies. En el depósito disponían de un espacio de
un metro y medio de alto y en el sollado de tan
sólo 80 centímetros. A cada lado del navío, una
abertura de dos metros y medio, cerrada por un
delgado tabique de planchas entrecruzadas,
aseguraba la ventilación.

El centenar de mujeres aparcadas delante,
debajo de la cabina de los oficiales, disponía de
un espacio de 8 a 9 metros de largo por algunos
metros de ancho...

Los marineros que formaban la tripulación
tenían la ventaja de ser libres, pero no tenían mucho
más sitio. Dormían por turnos en hamacas en
cubierta. Las «jaulas de esclavos» se cerraban con
candado de noche y la tripulación ya no entraba más
allí. En la oscuridad, habría sido demasiado
arriesgado...

Dos veces al día, si lo permitía el tiempo, se
conducía a los esclavos a cubierta, los hombres
encadenados, las mujeres y los niños sueltos, para el
almuerzo o el ejercicio.

El ñame (o yam)
originario de China,
se extiende por toda la
zona tropical. La especie
americana tiene
tubérculos aéreos,
mientras que en los otros
continentes son
subterráneos. Rico en
almidón, el ñame es un
alimento energético
apreciado por su
agradable sabor. Muy
utilizado por los negreros
para la sopa de los
esclavos durante la
travesía, el ñame,
cultivado en América,
finalmente se implantó
en África gracias al
tráfico de negros.

Arroz, maíz, mandioca y habas eran los alimentos
básicos con los que se hacía una sopa servida dos veces
al día. Este caldo insípido se sazonaba con un poco de
pimienta comprada en África. Se temían mucho los
estragos del escorbuto, debido a la falta de vitamina C.
Por eso, a partir del momento en que se agotaban las
frutas llevadas, el viaje no podía prolongarse más allá
de un mes y medio, dos meses.

Se intentaba variar la alimentación pescando. Sin
embargo, esta idea que parece simple tardó tiempo en
imponerse. El verdadero problema era el del agua:
podía corromperse dos o tres veces durante la travesía.
Se hacía espesa y cenagosa, a veces, se llenaba de
gusanos...»

La alimentación a bordo era de una monotonía desesperante.

Las raciones, ricas en calorías, pobres en vitaminas,
respondían a preocupaciones bastante contradictorias:
gastar lo menos posible, evitar una epidemia, y a la vez
no dejar demasiadas fuerzas a los esclavos que, si
estaban demasiado bien alimentados, podían rebelarse.

Las *Observaciones sobre el cuidado de los negros*
recomendaban siempre romper de vez en cuando la
uniformidad de las comidas con una orgía de
aguardiente rebajada con agua, con una galleta o un

bizcocho e incluso, cuando todos se habían portado bien, un pequeño trozo de buey hervido.

He aquí lo que recomendaba un armador de Nantes a su capitán negrero: «Dado que el comer es uno de los puntos más esenciales para la conservación de los negros, es la preocupación más importante del oficial que manda a bordo. Es necesario que la cantidad de agua sea suficiente para cocer bien las habas y para que el alimento no sea ni demasiado líquido ni demasiado espeso... Hay que darles de comer por la mañana y por la tarde. El cirujano tiene que ocuparse, todas las mañanas, de mirarles la boca y de hacérsela lavar a todos, de que hagan gárgaras con zumo de limón o vinagre. Como existe la experiencia de que el agua dada a discreción no se gasta más rápidamente que si se raciona, se deben dejar los toneles de agua abiertos teniendo cuidado de colocar un centinela para velar que no se pierda.»

La revuelta se ahogaba en sangre. Y si triunfaba, los esclavos estaban condenados a errar por los mares: en general no sabían maniobrar el pesado velero

Durante la primera semana de viaje, los marineros vigilaban de cerca su cargamento: los negros, al sentirse todavía cerca de su patria, eran capaces de los gestos más amenazadores así como de los más desesperados. El momento más peligroso para los comerciantes europeos eran cuando el navío perdía definitivamente de vista la costa de África. En ese momento se producía para el esclavo el salto a lo desconocido. Sentía que todo estaba perdido.

Y a veces la revuelta estallaba. Casi siempre se desarrollaba de la misma manera. Poco después de haberse alejado del litoral se urdía un complot a lo largo de la noche. Algunos cautivos conseguían desembarazarse de sus cadenas. Al día siguiente, cuando subían al puente al abrirse las escotillas, los negros sorprendían a sus carceleros, los atacaban y los mataban. Se cerraban en seguida todas las salidas. Se ametrallaba el puente. Los guardianes tiraban sobre los cabecillas. El espectáculo de algunos cuerpos sangrantes y despedazados, incitaba a la muchedumbre a bajar, temerosa, al entrepuente del que había salido enfurecida. En las horas siguientes, se multiplicaban los encadenamientos, se ejecutaba a los cabecillas supervivientes, o se les hacía azotar delante de sus cómplices. El orden quedaba restablecido...

Era muy raro que una revuelta triunfase. El asunto de *La Amistad*, en 1839, constituyó una excepción: bajo la dirección de un jefe africano, Singbè, los esclavos rebeldes mataron al capitán y al cocinero. Pero la tripulación rehusó dar media vuelta hacia África. Llegados a Estados Unidos, los africanos fueron encarcelados y juzgados por piratería. Más tarde los abolicionistas acudieron en su defensa y el veredicto fue favorable a los rebeldes que regresaron a su país en 1842.

Sin embargo, había también casos en los que la revuelta triunfaba. Como los esclavos no podían dirigir un buque tan complejo como los grandes veleros de la época, estos navíos erraban por los mares hasta la muerte de todos sus ocupantes. El novelista Próspero Merimée relató en su cuento *Tamango* la terrible historia de estos desgraciados condenados a la muerte por el hambre y la sed: «Cada pedazo de galleta costaba un combate, y el débil moría, no porque el fuerte lo matara, sino porque lo dejaba morir de hambre.»

«Amarramos a los negros culpables, dicho de otra manera a los negros autores de la revuelta, por las cuatro extremidades y tumbados sobre el vientre debajo del puente, los hicimos azotar. Además les hicimos escarificaciones en las nalgas para que se resintieran mejor de su falta. Tras haberles puesto las nalgas en carne viva por los latigazos y las escarificaciones, les untamos con una mezcla de pólvora, jugo de limón, salmuera, guindilla convenientemente machacada a la que se unía una droga dada por el cirujano, y con eso les frotamos las nalgas, para impedir la aparición de la gangrena y además para que escociera...»

Gaston Martin,
La era de los negreros

TO BE SOLD on board the Ship *Bance-Iſland*, on tueſday the 6th of *May* next, at *Aſhley-Ferry*; a choice cargo of about 250 fine healthy

NEGROES,

juſt arrived from the Windward & Rice Coaſt.

—The utmoſt care has already been taken, and ſhall be continued, to keep them free from the leaſt danger of being infected with the SMALL-POX, no boat having been on board, and all other communication with people from *Charles-Town* prevented.

Auſtin, Laurens, & Appleby.

N. B. Full one Half of the above Negroes have had the SMALL-POX ...

Esclavos a la venta. Cuando llegaba un buque negrero, bien por medio de carteles (a la izquierda), bien de viva voz (a la derecha), se anunciaba la subasta. Estos grabados del siglo XIX, en los que los esclavos van vestidos a la europea, describen la venta en los Estados Unidos. En las Antillas la subasta se desarrollaba con los esclavos totalmente desnudos para permitir un examen físico minucioso; de ello dependía la salud del taller de esclavos.

Una vez llegados a América, los esclavos eran revisados para poder venderlos lo más caros posible

Antes de atracar en suelo americano, se ponía al navío en cuarentena: durante cuarenta días nadie tenía derecho a desembarcar hasta que no se verificara que no había ningún caso de epidemia a bordo.

Pasada la cuarentena, el capitán se ocupaba de su «mercancía»: mejor alimentación, comida fresca (frutas y verduras), corte de pelo y de barba, cuerpos untados de aceite de palma, maquillaje de los defectos físicos más aparentes. Esta operación se denominaba emblanquecimiento; el cirujano del navío guardaba en su poder los secretos.

La llegada de los esclavos era un gran momento en la vida de la colonia. Anunciada por carteles, la venta comenzaba con un cañonazo, en el puente del buque. Resultaba cómodo para vigilar a los esclavos... así como a los compradores. Desde el momento en que el esclavo abandonaba el barco con su nuevo amo, el capitán ya no era responsable.

Ojos, dientes y piel eran examinados en particular (abajo a la izquierda) para detectar el camuflaje o «emblanquecimiento» hecho generalmente por los cirujanos de los navíos. En los Estados Unidos la venta era a menudo individual, mientras que en las Antillas se hacía siempre por lotes. Los capitanes de navío se desembarazaban de los sujetos más mediocres colocándolos en un lote dominado por una «buena pieza».

Se exponía a los esclavos ante los compradores que discutían su precio con el capitán del buque negrero

Se exponía a los esclavos agrupados en lotes denominados «piezas de Indias», haciéndoles subir al puente unos detrás de otros para conseguir venderlos todos. Los esclavos enfermos eran igualmente comprados, a precio más bajo, por los pequeños

Compte De Vente & Net Produit

plantadores, los «blancos pobres», que consideraban haber hecho un buen negocio cuando los curaban.

El negro puesto a la venta tenía que subir a una tabla o a un tonel para que pudiera verlo más gente. Los compradores lo examinaban, haciéndole adoptar diferentes posturas y mover brazos y piernas para juzgar su fuerza y su salud.

El precio del esclavo era discutido entre el capitán y los plantadores. Dependía de la edad (un esclavo era viejo a los 35-40 años), del estado de salud, de la fuerza física, del aspecto general. Dependía también de las fluctuaciones del mercado, es decir de la escasez o abundancia de esclavos en ese momento. A veces se rifaban.

Si el comprador estaba satisfecho, pagaba al contado. Y tenía interés en pagar al contado, porque entonces se beneficiaba de un descuento del 10 al 15 por 100. En caso contrario, estaba el sistema de

El producto de la venta se contabilizaba en registros especiales: a su vuelta, el capitán los remitía al armador que había contratado el viaje del negrero. Tenía que producir al mismo tiempo los registros de compra en África, para proceder a la evaluación de los beneficios. Se subastaban familias enteras, como muestra aquí una venta en Virginia en 1861.

crédito, que los capitanes detestaban, ya que los plantadores se hacían de rogar para pagar sus deudas.

Al negro recién adquirido se le marcaban, con una estampilla de plata ardiendo, las iniciales de su nuevo amo en el pecho o en el hombro. Acabada esta operación, se daba un nuevo nombre al esclavo: a partir de entonces se llamaría La Flor, María, Juan... Luego se le confiaba a otro esclavo y se le conducía a la plantación.

Durante una semana se le alimentaba bien y no trabajaba. Tal régimen resultaba tan eficaz después de las privaciones del viaje que al cabo de ese tiempo el amo disponía de un individuo bien rollizo y listo para entregarse con todas sus fuerzas a la plantación.

A veces, cuando el viaje había sido muy largo y difícil, el capitán del negrero había procedido a un «refrescamiento» en una isla desierta.

Una escena de venta vista por un caricaturista americano: cinismo y desenvoltura de los ricos propietarios blancos, que trataban al esclavo como ganado. Aquí, al menos, el esclavo iba vestido con un paño: la decencia norteamericana evitaba la representación del desnudo, aunque fuera de un esclavo.

En este cuadro de Taylor, titulado *Esclavos americanos*, y que data de 1852, se representa una de estas innumerables ventas de escalavos. Se destaca, en el centro, el vendedor ponderando la «mercancía» y tratando a toda costa de hacer subir las pujas. El comercio de esclavos era, la mayor parte de las veces, de un provecho indiscutible para los comerciantes. Los compradores llevan el atuendo típico de los propietarios del sur americano.

La supresión de la trata no se tradujo inmediatamente en un retroceso de la esclavitud. De hecho, la mejora en las condiciones de vida así obtenida tuvo por primera consecuencia un aumento de los nacimientos en las familias de esclavos. Por otra parte, el desarrollo del cultivo del algodón provocó una recuperación de la esclavitud en los estados del Sur.

La mayoría de las plantas tropicales exigían un trabajo considerable. Azúcar, café, algodón, arroz, índigo, tabaco, todos estos cultivos requerían una mano de obra abundante y particularmente resistente. Antes de la importación masiva de negros de África al continente americano, se habían intentado varias soluciones.

CAPÍTULO V
EN LAS
PLANTACIONES

En la plantación se dividía a los esclavos en tres grupos: los domésticos sumisos y privilegiados; los obreros especializados; los trabajadores agrícolas (a la izquierda), que formaban el 90 por 100 de los talleres. El índigo (derecha), planta originaria de las Indias y cultivada en las Antillas, proporcionaba un bello color entre el azul y el violeta.

Los plantadores habían probado con los indios americanos, pero había sido un fracaso: no resistieron al choque microbiano brutal debido a la llegada de los europeos.

A continuación llevaron obreros o colonos blancos utilizando el sistema de los «voluntarios»: pobres, reclutados por un mercader que les pagaba el viaje y algo de vestimenta, eran contratados para trabajar en las colonias durante siete años al servicio del patrón. Si sobrevivían, recibían una pequeña propiedad. El contrato estaba muy cerca de la esclavitud y la mortalidad de los contratados era muy elevada, ya que los propietarios, sabiendo que no conservarían eternamente esta mano de obra, la explotaba hasta la muerte.

La última solución de los plantadores se reveló como la «mejor» y más rentable: utilizar una reserva de esclavos negros africanos, acostumbrados a los climas tropicales, baratos y fácilmente renovables.

Los esclavos destinados a los «jardines» de la caña de azúcar hacían un trabajo agotador y peligroso

En la plantación azucarera estaban los que trabajaban en el «jardín», es decir, en los campos de caña, y los que trabajaban en el «molino», es decir, allí donde las cañas eran transformadas en azúcar. Los que iban al jardín eran despertados antes de la aurora por el chasquido del látigo del capataz. Este era el encargado de inspeccionar su conducta y de castigar toda negligencia, toda señal de descuido o de fatiga.

Al mediodía se les concedían dos horas, no para reposarse sino para ir a preparar su almuerzo y el de su familia. A las dos en punto, el capataz reunía a los esclavos en el jardín, y el trabajo duraba hasta la noche para aquellos que no estaban obligados a ir al molino.

Los esclavos destinados al ingenio azucarero, caldera y molino, no tenían otra ocupación durante la cosecha. Era un trabajo agotador y peligroso. Había que colocar los paquetes de caña en los cilindros que los triturarían, después, en las calderas que había continuamente que activar. Numerosos esclavos, no pudiendo resistir al sueño y al cansancio terminaban con los brazos triturados por las muelas del molino o quemados en las calderas.

Además del trabajo del jardín, se obligaba a los esclavos a ir dos veces por día a recoger hierba para el ganado que accionaba los molinos. Esta obligación última era muy fatigosa ya que a

Bajo la amenaza del látigo del capataz blanco, responsable de obtener el máximo rendimiento, los esclavos encargados del trabajo de la tierra o «gran taller» se disponen a cavar. Los esclavos agrícolas se repartían entre el gran taller, reservado a los trabajos más duros, el segundo taller, formado sobre todo por mujeres acostumbradas a los trabajos más monótonos y, finalmente, el pequeño taller de los niños y los convalecientes.

menudo la hierba crecía a gran distancia de la
plantación. Se les enviaba cuando la noche había
puesto fin a los otros trabajos. Al final volvían a sus
cabañas, recogían algo de leña, preparaban su cena y
la de su familia y cuando podían tumbarse en su
jergón de paja de mandioca que les servía de
colchón, era ya cerca de la medianoche. En tiempos
normales era sólo a esa hora cuando el esclavo
podía ocuparse de su propio huerto, que le
proporcionaba verduras. Si el propietario no le
concedía el domingo libre, lo cultivaba por la noche
para así mejorar su ración cotidiana.

Los grandes molinos de caña

Según el clima y el país los molinos azucareros estaban accionados por el viento o por el agua. En este molino de viento los rodillos verticales de la trituradora exprimían el jugo de las cañas colocadas en haces. Los residuos de las cañas trituradas servían para alimentar el fuego de las calderas en las que se destilaba el jugo de las cañas.

«Una plantación azucarera se divide en tres grandes partes, las tierras, los edificios y el ganado (...). Siendo el rendimiento anual de una plantación cerca de unos 200 toneles de azúcar, hay que cultivar al menos 120 ha de caña de azúcar; la totalidad de la hacienda tiene que alcanzar las 360 ha y las plantaciones de Jamaica sobrepasan en general esta media (...). En una plantación de estas dimensiones hay que contar con un ganado de al menos 250 negros, 80 bueyes y 60 mulas.»

Bryan Edwards,
plantador de Jamaica.

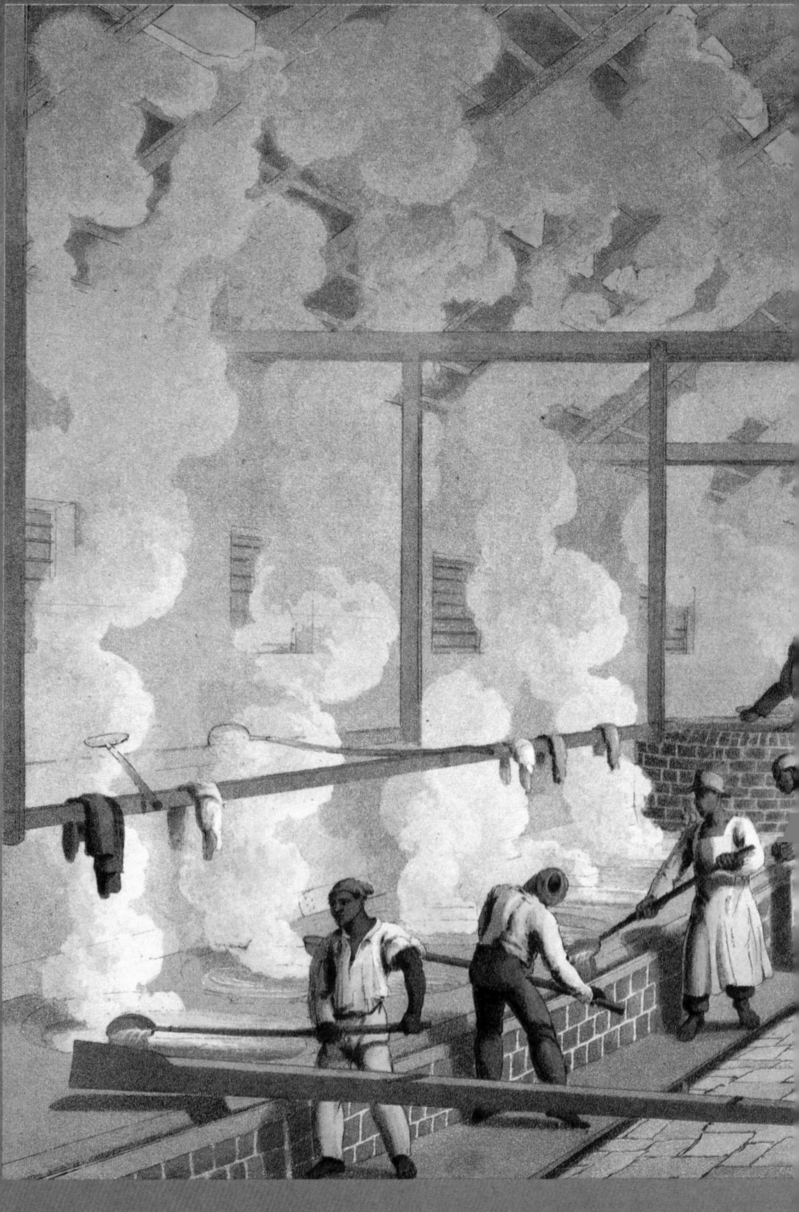

El infierno de las calderas

Una vez triturada la caña, el jugo obtenido se canalizaba hasta la refinería donde los esclavos sufriendo el calor y el vapor, comenzaban las complicadas operaciones que permitirían obtener el azúcar y el ron. Se hacía hervir el jugo en bruto dentro de enormes calderas y se eliminaban las impurezas. Luego los esclavos trasvasaban el jugo hirviendo a otra caldera para espumarlo, siendo la espuma arrastrada a través de un conducto de ladrillo. El líquido clarificado se trasvasaba en seguida a unas hileras de cubas más pequeñas y de temperatura creciente. El jugo, cuando espesaba y se clarificaba se encaminaba hacia unas bandejas de refrigeración donde el azúcar se cristalizaba en la superficie del residuo parduzco, las melazas.

El ron y la melaza

Después del enfriamiento del jugo de caña clarificado, la parte formada por la costra del azúcar era filtrada en barriles perforados y las melazas se escurrían depositándose de este modo el azúcar. Las melazas en seguida se transformaban en ron y estos dos productos estaban listos para exportar. Aquí (en alto), en el interior de la destilería, los esclavos abren los toneles para que el plantador pueda controlar el grado de alcohol. El ron que no alcanzaba los 50 °C se destilaría de nuevo. Las cañas trituradas eran extendidas (abajo) para que se secaran antes de volverlas a utilizar como combustible para el fuego de las calderas.

En los campos de algodón, los esclavos penaban a menudo hasta media noche

Durante la primera mitad del siglo XIX, el algodón fue el rey en el sur de los Estados Unidos. Entre 1815 y 1861 el rendimiento pasó de 80.000 a 115.000 toneladas.

La cosecha comenzaba en la segunda quincena de agosto. Se daba a cada esclavo un saco provisto de una correa que pasaba alrededor de su cuello: la abertura del saco se mantenía a la altura del pecho, mientras que el fondo casi tocaba el suelo. Se daba igualmente a cada uno un cesto grande para vaciar en él el algodón cuando el saco estuviera repleto. Una jornada normal de trabajo suponía una recogida de 200 libras. Si un esclavo, acostumbrado a este rendimiento, producía menos, era castigado.

El algodonal alcanza alrededor de un metro y medio de altura. Cada tronco produce numerosos tallos que crecen en todas direcciones. Los esclavos recogían las semillas rodeadas de filamentos de algodón. Cuando su saco se había llenado lo vaciaban en el canasto, luego se pisaba con los pies. Se exigía a los esclavos que estuvieran en los campos con los primeros resplandores del día, y aparte de los diez o quince minutos que se les concedía para tomar una ración minúscula de carne fría, no se les daba respiro mientras que hubiera claridad suficiente. Cuando había luna llena no era raro que permanecieran hasta medianoche.

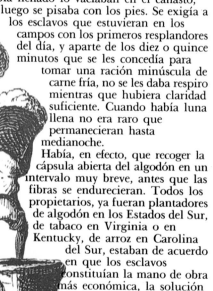

Había, en efecto, que recoger la cápsula abierta del algodón en un intervalo muy breve, antes de que las fibras se endurecieran. Todos los propietarios, ya fueran plantadores de algodón en los Estados del Sur, de tabaco en Virginia o en Kentucky, de arroz en Carolina del Sur, estaban de acuerdo en que los esclavos constituían la mano de obra más económica, la solución más rentable. De este modo compraban tantos como se podían permitir.

El algodón era conocido desde la más lejana antigüedad egipcia, pero no dejó de ser un objeto de lujo hasta fines del siglo XVIII, cuando aparecieron las primeras máquinas mecánicas utilizadas para hilar. El algodón es una fibra textil constituida por la suave pelusa que recubre las semillas del algodonero y es una planta esclavista que agota los suelos... y a los hombres. Es en efecto un arbusto de alrededor de un metro de alto, cuyo fruto, una cápsula del tamaño de una nuez, contiene una treintena de pequeñas semillas rodeadas de filamentos blancos. Al madurar la cápsula se abre, liberando las fibras que se secan y apelotonan. Sin embargo, no maduran todas al mismo tiempo, por lo que constantemente hay que recorrer las filas para recogerlas, y luego separar la pelusa de las semillas (en lo alto). Transportado en grandes cestos, la pelusa es rápidamente prensada en grandes balas de copos enmarañados (abajo).

Plantaciones grandes y pequeñas: unas condiciones de vida muy diferentes

La mitad de la cosecha de algodón la producían pequeños cultivadores que poseían menos de diez esclavos. Las condiciones económicas de supervivencia para estos plantadores eran a menudo difíciles. Tenían que endeudarse a fondo con los prestamistas para superar la estación muerta que suponía el intervalo entre una y otra cosecha. Demasiado pobres para renovar el material y los útiles usados, muchos se esforzaban en conservar sus esclavos en buenas condiciones para transmitirlos a sus herederos. Otros, para aumentar su capital, se imponían privaciones espartanas para financiar sus inversiones en esclavos, su posesión principal: un joven de dieciocho años comprado por seiscientos cincuenta dólares en 1845 podía ser revendido a mil dólares cinco años más tarde, a dos mil al comienzo de la guerra civil.

El pequeño plantador además del trigo y de la carne de cerdo necesarios para sí, criaba ganado y producía bastante algodón para vender unos sesenta sacos por cosecha.

En las plantaciones grandes de más de cincuenta esclavos la vida era muy diferente. Allí era donde se encontraba esa «aristocracia de plantadores que creía encarnar en solitario al Sur, identificando sus intereses de clase con las prosperidad de todo el Sur», de la que hablaba Clement Eaton. En condiciones ideales —administrador competente, esclavos robustos, mulas fuertes, material adecuado— cada trabajador podía cultivar cinco hectáreas de algodón o de trigo y el hacendado esperar beneficios sustanciosos. En el bajo Sur una plantación floreciente podía extenderse por una superficie de más de quinientas hectáreas y emplear a más de ciento cincuenta esclavos.

El historiador Michelet hacia notar que a partir del año 1832, el algodón se convirtió en un tejido popular mientras que hasta entonces había sido de lujo.

El cultivo del algodón y, sobre todo, su recolección, exigía una mano de obra considerable: el consumo popular unido a la penetración del algodón barato relanzó entonces la esclavitud americana. En la ilustración, una plantación de algodón en el Mississippi en el siglo XIX.

Hasta principios del siglo XVIII el único país en que se cultivaba el café era el Yemen. Los holandeses comenzaron hacia 1700 a exportar su cultivo. Hacia 1720 se introdujo el café en la Martinica, en Guadalupe y en Guayana. A finales del siglo XVIII la producción de las Antillas, asegurada por millares de esclavos cubría más de tres cuartas partes de las necesidades europeas. El café se puso muy pronto de moda en París, a pesar de los médicos que pensaban que provocaba graves enfermedades y que hacía a los hombres estériles.

El café era el segundo gran cultivo esclavista

Exigía también numerosos cuidados. Aun así el trabajo era menos penoso que el del azúcar y el algodón. Se recogía y se pelaba el fruto de color rojo cereza que se llama drupa. Luego se procedía a la delicada operación del secado: se descortezaba el grano y se dejaba secar durante siete u ocho días en inmensas áreas llanas, donde se volvía verde. No debía estar mojado y había a veces que cubrirlo deprisa, darle la vuelta muy a menudo y expurgar uno a uno los granos malos. Al final se torrefactaba el café, es decir, se calentaba para hacerle perder un quinto de su peso, volviéndose marrón claro y brillante. Los esclavos con una salud por debajo de la media trabajaban en la «bonificación» del café, ocupación que consistía en desembarazar de su película a los granos de café. Vertían en enormes morteros los granos que les llevaban. Allí unos mazos de formas especiales, movidos por chorros de agua, pulverizaban la «ganga». Los «bonificadores» recogían entonces los granos para clasificarlos y cribarlos. Se encontraban pocos voluntarios para este cometido, ya que era difícil hacerse con un peculio, exceptuando los domingos que les eran pagados por el amo si el trabajo corría prisa.

Vigilancia estrecha, castigos frecuentes, el látigo a cada paso: un administrador velaba por la «buena marcha» de la plantación.

Los plantadores blancos vivían con la obsesión de la rebelión. Por eso los esclavos eran constantemente vigilados, sometidos y castigados. Un administrador aseguraba la buena marcha de la plantación. Controlaba el redimiento cotidiano de cada esclavo en los campos, registraba periódicamente las cabañas de los negros en busca de armas u objetos robados. Unos *patter rollers*, patrullas de voluntarios armados y a caballo, atravesaban con regularidad el campo, sin contar a los cazadores de prima profesionales, que, solos o en grupos, perseguían a los esclavos fugitivos a cuya captura estaba puesto un precio, a veces con perro dogos entrenados especialmente. Había toque de queda a las ocho de la tarde: ningún esclavo debía ser visto a partir de esa hora fuera de los barrios donde la ronda aseguraba su presencia. Nadie podía salir de la plantación sin motivo, los plantadores velaban por ello. Se limitaba todo contacto de los esclavos con el mundo exterior, sobre todo con los negros libres y con los extranjeros.

Los esclavos fugitivos recibían en español el nombre de cimarrones. Se tienen pocos datos sobre las grandes huidas. En las colonias francesas no se daban nada más que en Santo Domingo, donde existían los espacios necesarios para su desarrollo. Mucho más frecuentes eran las pequeñas huidas temporales.

En las plantaciones de café la recolección no era el trabajo más pesado. Con buen tiempo era sólo un asunto de paciencia. Las tareas más pesadas eran todas las etapas preliminares: las de preparación de la parcela, cuando los esclavos tenían que desbrozar la selva, talar y plantar el arbusto en las «mornes» (colinas). Bajo la mirada del propietario, a la izquierda, se vacían los cestos de «cerezas» (fruto del cafetal) en una primera zona de secadero. Mientras que en las plantaciones de azúcar los propietarios la mayor parte del tiempo estaban ausentes, por el contrario, los plantadores de café residían a menudo en el lugar. Ahora bien, las relaciones directas que el propietario mantenía con sus esclavos eran a menudo mucho menos duras para ellos que las que mantenían con los subordinados. Los capataces, en efecto, con prisas por enriquecerse, se preocupaban poco por preservar el capital humano.

El collar de barras largas y encurvadas era para impedir al esclavo castigado ocultarse en la maleza o emprender la huida: las puntas del collar se engancharían en las ramas. Del mismo estilo siniestro que el collar para esclavos, existían también unos collares de hierro con campanillas. Estaban pensados para los fugitivos que amenazaban con reincidir, de modo que su presencia estuviera constantemente señalada por un tintineo.

Los castigos eran moneda corriente, a la mínima infracción y con la más completa arbitrariedad. Al cimarrón (esclavo fugitivo), por ejemplo, se le castigaba con el látigo, con el encadenamiento durante una o varias semanas, o con la privación de libertad del domingo. Asociada al crimen, la fuga de larga duración, de más de dos meses, se castigaba con la marca, al hierro candente, de las iniciales del propietario, castigo particularmente humillante.

El encadenamiento en las posturas más dolorosas y más infamantes testimoniaba la imaginación sádica de ciertos propietarios y de la mayor parte de los capataces. La situación de las gentes de color liberadas no era mejor y la falta de respeto a la reglamentación legal se veía favorecida por la lejanía de la metrópoli y el aislamiento local. Aun así, los castigos parece que se dulcificaron a fines del siglo XVIII.

Los reglamentos prohibían a un esclavo pelearse con otros, jurar, tener alcohol y vender cualquier tipo de cosa. Tenía que permanecer de pie en presencia de su amo. Los castigos iban desde la privación de alimento hasta la marca con hierro al rojo vivo, la bola o las cadenas en los pies, pero era sobre todo el látigo lo que se empleaba de continuo. Era utilizado por el administrador o incluso por un «azotador», un empleado que se dedicaba sólo a eso. Después, las heridas eran a veces rociadas con agua salada, para, a la vez, aumentar el dolor y desinfectar las llagas.

Solamente bajo la influencia de la cólera o en circunstancias graves se rebajaba un propietario a azotar a sus esclavos con su propia mano. Por lo que respectaba a las damas eran demasiado delicadas como para infligir ellas mismas el castigo. Se contentaban con escribir al azotador «Señor, ¿querría usted dar a la joven negra Nancy tantos latigazos y anotarlo en mi cuenta?».

Castigos sin crímenes

Durante todo el siglo XVIII, la crueldad y el sadismo de los castigos corporales infligidos por los blancos a los esclavos como respuesta a sus «delitos» fueron extremos. Marcar con hierro al rojo vivo, castrar, cortar manos y orejas eran prácticas corrientes hasta fines del siglo XVIII. En una ordenanza del 3 de diciembre de 1784, el gobernador de la isla francesa de Santo Domingo prohibía a los propietarios mutilar a sus esclavos «bajo pena de infamia» y provocar su muerte bajo pena de ser perseguidos, así como administrar más de cincuenta latigazos de una sola vez.

Si un esclavo no era demasiado robusto, se le tomaba como doméstico en la casa de los señores.

Los hijos de los esclavos eran cuidados por viejas nodrizas negras o por otros niños de más edad, ya que sus madres trabajaban todo el día en los campos. Las hijas entre ocho y diez años tenían la tarea de vigilar a los más pequeños y a los bebés. La infancia de un esclavo se acababa al cumplir doce años.

A partir de ese momento, iba a trabajar a los campos junto a sus padres. En principio llevaba una vida tan dura como la de los esclavos adultos, únicamente que en los campos realizaba trabajos que requerían menor fuerza física. Si no era muy robusto, podía ser tomado como sirviente en la casa de los señores.

En todas las plantaciones, fueran grandes o pequeñas, la vida de los plantadores blancos y de sus esclavos negros destinados al servicio de la casa estaba íntimamente mezclada. Los esclavos dormían

a menudo a los pies de la cama, o incluso en la cama de su pequeño amo o ama mientras eran niños. Al aire libre, los niños blancos y los niños negros compartían los mismos juegos. Una nodriza negra vigilaba la tarea de los sirvientes blancos, una criada negra asistía personalmente a su ama, un hombre negro ayudaba a su amo blanco sobrecargado de trabajo.

Un propietario criado por un negro llevaría en él la cultura africana, casi como una segunda naturaleza, aunque nada más fuera por el conocimiento de las músicas y los cantos «negros».

Sin embargo esta relación ambigua estaba a menudo dominada en los blancos por el recelo y en los negros por el odio. El temor a ser vendido y conducido lejos de los suyos era para el esclavo un tormento diario. Los amos arreglaban a menudo los matrimonios entre esclavos, pero la fórmula ritual del matrimonio «hasta que la muerte os separe» estaba abolida...

Un esclavo podía ser revendido, casado o no. No podía casarse con una esclava que perteneciera a otro amo. Además el matrimonio entre esclavos no estaba reconocido por la ley. La separación de los esposos era un tormento, pero la de los hijos causaba un sufrimiento horrible.

Una esclava contaba: «He tenido trece hijos y a todos los he visto partir, vendidos como esclavos, y cuando lloraba con todo el dolor de una madre, sólo Jesús me ha oído.»

Ser sirviente era un privilegio. El servicio doméstico, grupo minoritario entre los esclavos, formaba parte de los signos externos de la riqueza de los plantadores. Los hombres eran cocineros, cocheros, las mujeres costureras, lavanderas, doncellas, amas. Los esclavos domésticos, alojados aparte de los otros, formaban casi parte de la familia y sabían siempre todo de todos.

Enfermedad, agotamiento, malos tratos, epidemias e incluso suicidios; morían muchos esclavos en las plantaciones

Algunos esclavos morían ya en el primer año de su llegada (como más tarde sucedería en los campos de concentración). Y la natalidad era más bien escasa: los negros dudaban en traer al mundo niños abocados a la esclavitud; tampoco a los plantadores les gustaba ver aumentar las familias de negros; preferían comprar un adulto rentable de inmediato antes que tener que criar a un niño varios años sin contrapartida. Mortalidad elevada y natalidad débil hicieron bajar la población negra tan rápidamente que algunos plantadores tenían que renovar su «taller» cada siete o diez años.

Todo esto cambiaría bien pronto: el primero de enero de 1808, una ley federal prohibía la trata en Estados Unidos, al mismo tiempo que las plantaciones de algodón reclamaban más y más mano de obra. La escasez hizo aumentar las tarifas: en 1850 el precio de un esclavo era diez veces superior a lo que costaba a fines del siglo XVII. El esclavo se había convertido en un capital.

Entonces algunos plantadores pensaron dedicarse a la «cría». Seleccionaban «sementales» y «reproductores». El precio de las mujeres esclavas en edad de tener hijos se elevó a la altura del precio de los hombres en la plenitud de sus fuerzas. En algunas plantaciones se consideraba que estas mujeres tenían que dar a luz un hijo por año. Los *breeding States* principales, estados dedicados a la cría, eran Virginia, Carolina del Norte, Maryland, Kentucky, Tennessee y Missouri. Allí se cuidaba al «ganado de color» y las reproductoras buenas eran mimadas y sobrealimentadas. Poco a poco la natalidad negra aumentó de nuevo, debido a la aclimatación al mundo americano.

La coquetería estaba de moda entre los esclavos domésticos; las mujeres recibían como regalo de año nuevo los trajes usados de su ama. En cambio, los esclavos de los talleres, poco o mal vestidos, llevaban gruesas telas de lino. Aquí arriba, el trabajo, muy famoso, de las lavanderas de las islas: los hombres de negocios de los puertos europeos enviaban allí su ropa blanca.

Durante mucho tiempo en Estados Unidos se minimizaron las revueltas de esclavos. Sin embargo, fueron muy numerosas. Y los propietarios de mano de obra negra les tenían un miedo permanente. Por esto, todo intento de sublevación se reprimía con extremada brutalidad. Aparte de la revuelta, existían pocos medios de escapar a la esclavitud: uno era la liberación, otro era la fuga.

CAPÍTULO VI
MAÑANA LA LIBERTAD

Este grabado alegórico de 1794 proclama: «Yo libre.» La revolución francesa, que sentó los principios de los derechos del hombre y del ciudadano, abolió la esclavitud a pesar de la oposición de los hombres de negocios y de los plantadores. Pero en 1802 el Imperio restableció la esclavitud en las Antillas, en Guayana y en la isla Reunión.

Las revueltas de los negros iban de la simple
rebelión (que comenzó desde 1793) al establecimiento
de un estado: el dirigido por Toussaint Louverture,
de 1796 a 1802, en la isla de Santo Domingo.

A la izquierda,
Toussaint
Louverture, héroe de la
revuelta de 1796 en Santo
Domingo. Este liberto
genial se convirtió en
general y llamó a los
negros para apoyar al
gobierno francés, que
acababa de abolir la
esclavitud. Cubierto de
honores, héroe nacional,
trató de crear una
república negra. Bajo el
consulado, fue obligado a
capitular, arrestado y
deportado al Jura, al
fuerte de Houx. Allí
murió al año siguiente,
en 1803.

Las revueltas de negros, reprimidas salvajemente, jalonaron toda la historia de la esclavitud

La primera de todas las revueltas tuvo lugar muy
pronto, en 1526, en Carolina del Sur. Una de las
más importantes sería, en ese mismo estado, la de
Charleston: en 1882 Denmark Vesey, un liberto que
se había convertido en carpintero, reunió a millares
de negros, que fueron prácticamente masacrados.

Pero la más salvaje de todas fue la de Nat Turner en 1831 cerca de Jerusalem, en Virginia. Turner, que se creía «inspirado por el Espíritu», a la cabeza de algunos hombres armados con hachas, masacró a muchas familias, unas sesenta personas, antes de ser cogido, juzgado y ejecutado. «Mi objetivo, dijo en el curso de su proceso, era llevar por doquier el terror y la desolación.» En las Antillas, en Brasil, fueron numerosas las revueltas, como las de los negros musulmanes que ensangrentaron Bahía en varias ocasiones, entre 1807 y 1837.

Algunos libertos y algunos blancos pusieron en pie el «ferrocarril clandestino», una organización secreta que elaboraba itinerarios de fuga

El otro medio era la fuga. Los esclavos que huían recibían el nombre de «cimarrones». Era la gran tentación de todo esclavo, como lo demuestran algunas palabras de una canción de la época: *«Run, nigger, run! The patrol 'il catch you...* (¡Corre, negro, corre! La patrulla te atrapará.)»* Se contaba la historia de la república de Zambia o la de la ciudad de Palmarés construida en la selva virgen brasileña por los esclavos fugitivos, en el siglo XVII, y que sobrevivió más de cincuenta años, resistiendo a varias expediciones del ejército. Estos temas legendarios provocaron, por otra parte, el nacimiento en 1847 del estado libre de Liberia, fundado en la costa africana por antiguos esclavos americanos.

Un esclavo en fuga «se hacía a la ciénaga», se escondía en los rincones salvajes y vivía de la

Las principales fases de la lucha en Santo Domingo fueron las siguientes: de agosto de 1781 a junio de 1794, los blancos se mantuvieron en las ciudades, huyendo del campo donde la violencia alcanzaba su cota más alta. La proclamación de la supresión de la esclavitud por el gobernador Santhonax, el 22 de agosto de 1793, llegó demasiado tarde para calmar los ánimos. De 1794 a 1796 la isla fue ocupada por los españoles y los ingleses. La revuelta se reanudó en 1796: fue el gran momento de Toussaint Louverture, un antiguo esclavo. La paz de Amiens en 1802 condujo al envío de un ejército francés al mando del general Leclerc que puso punto final al poder del dirigente negro. Sin embargo, la guerrilla, combinada con las epidemias, dio cuenta del cuerpo expedicionario francés. El primero de enero de 1804 Jean-Jacques Dessalines proclamaba la independencia de Haití. La revuelta fue de una crueldad indecible por las dos partes.

rapiña. Sabía que aquel que lo encontrara tenía derecho a matarlo. Sin embargo, bien pronto la fuga de esclavos cimarrones se organizaría.

Hacia 1815 comenzó a organizarse el *underground railway*, el «ferrocarril clandestino», organización secreta de libertos y de blancos cuyo cometido era trazar itinerarios de fuga y preparar áreas de reposo, para que los fugitivos pudiesen ponerse a seguro en los Estados del Norte o incluso en Canadá. En 1850, el «ferrocarril» funcionaba perfectamente. Harriet Tubman, después de haberse fugado ella misma, organizó diecinueve viajes y liberó ella sola a 300 esclavos.

Los plantadores a su vez se organizaron y obtuvieron en 1850 la votación de una ley federal que obligaba a las policías de todos los estados a participar en la caza de los fugitivos. En 1857, el Tribunal Supremo decidió convertir de nuevo en esclavo al negro Dred Scott que se había refugiado en el Norte. El alboroto que causó este arresto entre la opinión pública figuró entre las causas de la

Se organizó la caza al hombre. La viñeta de la izquierda ilustra el relato de la expedición del capitán Stedman contra los «negros del Suriname» en 1777: la de la derecha, mucho más tardía, formaba parte de la campaña antiesclavista cuyo acontecimiento fue la aparición, en 1852, de *La cabaña del tío Tom* o *La vida de los humildes* de Harriet Beecher Stowe. Requisitoria violenta contra la esclavitud, el libro tuvo un enorme éxito. En el lenguaje americano coloquial, tío Tom se convirtió en sinónimo de negro esclavo. Abraham Lincoln diría de la joven novelista, a propósito de este libro, que ella fue «la joven que ganó la guerra».

guerra de secesión. Haría falta una guerra civil de cuatro años para que se suprimiera la esclavitud: de 1861 a 1865 los Estados del Sur, esclavistas, confrontaron sus armas con las de los Estados del Norte, partidarios de la abolición de la esclavitud. La esclavitud fue finalmente abolida en el conjunto del territorio de los Estados Unidos, el 31 de enero de 1865 por la decimotercera enmienda a la constitución.

Los Cuáqueros, una secta protestante americana, fueron los primeros «abolicionistas»

La Francia revolucionaria había sido la primera en suprimir oficialmente la esclavitud, por un decreto de la Convención del 4 de febrero de 1794, pero fue restablecida por Bonaparte en 1802. No obstante, la expedición fracasó totalmente. Con anterioridad, los primeros abolicionistas habían sido los cuáqueros, una secta protestante americana. Desde 1688 declararon la esclavitud contraria al espíritu del cristianismo. Ese mismo año, un grupo de cuáqueros, descendientes de alemanes y suizos, publicaba la *Protestation de*

Las naciones esclavistas publicaron documentos oficiales que fijaban la suerte de los esclavos en las plantaciones, y varios códigos para negros. El de 1685, promulgado por Seignelay, el hijo de Colbert, en todas las posesiones francesas, pasaba entonces por ser particularmente liberal y humanitario, lo cual da qué pensar cuando se lee por ejemplo en su artículo 38: «Al esclavo que hubiera huido durante un mes se le cortarán las orejas y se le marcará una flor de lis en un hombro; y si reincidiera otro mes, se le cortará la corva y se le marcará con una flor de lis el otro hombro; y a la tercera vez se le condenará a muerte.»

Germantown, que condenaba tanto la esclavitud como la trata:

«Aunque sean negros, no podemos admitir que sea más legítimo esclavizarlos que tener esclavos blancos (...).

Aquellos que roban o raptan hombres, los que los venden o los compran, ¿no son acaso hombres como ellos?»

Comenzaba la lucha por la abolición de la esclavitud. Harían falta siglos para concluirla. Tres hombres, entre otros, la ilustrarían: el inglés William Wilberforce, el francés Victor Schoelcher y el americano Abraham Lincoln.

Para abolir la esclavitud había que empezar por suprimir la trata

En 1807, el diputado inglés Wilberforce tuvo una idea genial: hizo votar la prohibición de la trata de negros en los navíos ingleses. (La trata por otra parte se estaba haciendo cada vez menos rentable.) Era una primera etapa. Durante las guerras napoleónicas la trata inglesa y francesa cesó casi completamente. La trata americana, por su parte, fue suprimida oficialmente por la Constitución de los Estados Unidos.

En enero de 1808, Wilberforce y Greenville hicieron votar la abolición de la trata por las dos cámaras británicas.

Sin embargo, la supresión de la trata no era la de la esclavitud. La diferencia era aún muy nítida. En Inglaterra, por ejemplo, la esclavitud se suprimió en 1833, veinticinco años después que la trata. Francia no abolió su propia trata hasta 1827 y la esclavitud hasta 1848. En Estados Unidos, a pesar de los libros y de las campañas antiesclavistas, fueron necesarios cincuenta y seis años entre el final de la trata, en 1812, y el de la esclavitud, en 1865. Entre medias tendría lugar la mortífera guerra de Secesión. Otros países tardarían aún más, como

HMP

Alegría de los esclavos... consternación de los propietarios: por todas partes la misma reacción ante el anuncio de la supresión de la esclavitud. En 1833, se celebraba la emancipación en las Antillas inglesas (a la izquierda). En las Antillas francesas, hasta 1848, por instigación del diputado Victor Schœlcher, no se suprimió la esclavitud. Él fue el autor del decreto del 27 de abril de 1848 que la suprimía.

Brasil que suprimió la trata en 1850 y la esclavitud en 1888.

Los ingleses combatían con vigor la trata clandestina: visitaban los buques sospechosos y retenían a los negros

Sucedía que las leyes acerca de la supresión de la trata distaban de alcanzar la unanimidad. Entre los que habían hecho fortuna con la trata de negros, eran numerosos los descontentos. La prohibición oficial provocó un alza considerable del precio de los esclavos. Se organizó una trata clandestina. Para combatirla, Inglaterra obtuvo de las naciones europeas y de las del Nuevo Mundo el acuerdo sobre el derecho de la marina británica a visitar los buques sospechosos y a retener a los negreros. España, Portugal y Francia firmaron acuerdos recíprocos en virtud de los cuales cada una de estas naciones tenía el derecho de interceptar e inspeccionar los barcos de la otra que resultaran sospechosos de transportar esclavos. Esto provocó por otra parte numerosos incidentes diplomáticos.

El negrero *Faludo* Uracan (a la derecha) es capturado por un buque de guerra inglés. Es un episodio de la lucha contra la trata inaugurada por los cruceros de la *Navy*, y que se prolongaría más de un siglo. Pero en África, la trata realizada por los árabes se mantuvo: de 1830 a 1873, más de seiscientos mil esclavos fueron vendidos en el gran mercado de Zanzíbar en la costa oriental del continente.

En 1862 el presidente Lincoln firmaba un tratado de derecho de visita autorizando a Inglaterra a registrar los barcos americanos. Desde 1808 hasta 1870 aproximadamente, treinta navíos de guerra y un millar de hombres fueron asignados a estas patrullas. Los negreros capturados, si eran ingleses, a partir del año 1828, podían ser condenados a muerte.

Para escapar a los navíos de guerra que perseguían a los clandestinos, los negreros construían nuevos barcos. Más esbeltos, más largos, más rápidos. También más estrechos, por lo que las condiciones de los esclavos eran en ellos peores de lo que jamás habían sido. Estaban encajados en un espacio extremadamente angosto. A menudo esta promiscuidad favorecía las epidemias. Y sobre todo, el negrero que era sorprendido tenía tendencia a desembarazarse de su «cargamento» tirándolo al mar para así hacer desaparecer las pruebas que lo hundirían.

A pesar de la captura de 1287 negreros entre 1825 y 1865, más de un millón de esclavos fueron aún importados en América, sobre todo por navíos portugueses, brasileños y españoles.

«La trata se hace con más crueldad (...). Vean los informes oficiales relativos a la *Jeanne Estelle:* catorce negros había a bordo; el buque es sorprendido; no se encuentra ni un solo negro; se busca en vano; al final un gemido sale de una caja, se abre; dos jovencitas de 12 y 14 años se asfixiaban allí; y varias cajas de la misma forma y de las mismas dimensiones habían sido ya arrojadas al mar.»

Benjamín Constant, discurso del 27 de junio de 1821 en la Cámara de los Diputados.

En 1815, el Congreso de Viena, bajo el impulso de los ingleses, condenó solemnemente la trata de negros asimilándola a la piratería. Las grandes potencias europeas abolieron finalmente la trata en 1818 por el tratado de Aix-la Chapelle, preludio del final de una época afortunada para los plantadores sudistas. Finalmente, en 1823, los abolicionistas ingleses fundaron la Sociedad contra la esclavitud.

CAPÍTULO VII
UNA VICTORIA SIEMPRE EN PELIGRO

El 20 de diciembre de 1848 se proclamó la supresión de la esclavitud en la isla de Reunión. La abolición dio paso a una abundante iconografía: aquí una madre blanca amamanta a un niño negro como símbolo de la fraternidad entre las razas.

El gobierno inglés comenzó por adoptar una nueva
política hacia sus colonias de las Indias occidentales.
Se tomaron medidas para mejorar la suerte de los
esclavos: supresión del látigo del mercado de esclavos
dominical, prohibición de pegar a las mujeres,
permiso de un día suplementario para la instrucción
religiosa, liberación de las niñas nacidas después de
1823, reducción de la
jornada de trabajo a
nueve horas, derecho
a atestiguar ante los
tribunales, creación
de cajas de ahorro
reservadas a los
esclavos.

Los plantadores enfurecieron: las medidas tomadas por el gobierno inglés les privaba de una gran parte de su poder

Los plantadores protestaron enérgicamente contra estas «intrusiones en sus derechos de propiedad». Los esclavos por su parte, excitados ante la perspectiva de un cambio del cual oían a sus amos discutir, comenzaron a impacientarse. Estallaron sublevaciones: en la Guayana británica en 1808; en Barbados en 1816; en 1823, trece mil esclavos encerraron a los propietarios blancos y mataron a dos administradores en la Guayana francesa. La paz fue restablecida por el ejército que se cobró un centenar de muertos entre los negros. Se proclamó la ley marcial, se ahorcó a cuarenta y siete esclavos, otros fueron condenados a mil latigazos. En 1832 cincuenta mil esclavos se sublevaron en Jamaica, los plantadores aterrados amenazaron con separarse del imperio británico y unirse a los Estados Unidos.

Finalmente se votó la abolición de la esclavitud: entre los negros se produjo una explosión de alegría, entre los colonos supuso el temor de ver hundirse toda su economía

El 29 de agosto de 1833, al fin, se votó la abolición de la esclavitud en los Comunes. Los plantadores recibieron una indemnización de veinte millones de libras (aproximadamente la mitad del valor de sus esclavos en el mercado).

En Estados Unidos la supresión de la esclavitud provocó explosiones de entusiasmo popular. El artículo 13, añadido a la Constitución en 1865, suprimió no sólo la esclavitud sino también toda forma de servidumbre exceptuando las penas judiciales. Numerosos antiguos esclavos abandonaron las plantaciones, aunque algunos propietarios los retuvieron por la fuerza. Para resolver esto el gobierno federal creó en marzo de 1865 el *Bureau of Freedemen, Refugees and Abandonned Lands*. Sin embargo, en algunos estados del sur, la permanencia de los esclavos en las tierras fue impuesta por una legislación como el Código negro de Luisiana.

La guerra de Secesión

En noviembre de 1860 el republicano Abraham Lincoln era elegido presidente de la República. Esta elección suponía una amenaza directa para los estados del sur, donde se encontraban las mayores plantaciones esclavistas: Lincoln era antiesclavista. El 8 de febrero de 1861, 7 estados del Sur se secesionaban. Se organizaron en confederación, se dieron una constitución y se opusieron al gobierno federal del Norte, de Lincoln. La tensión aumentaba de una parte a otra. Los sudistas sitiaron algunos fuertes federales. el Norte se mobilizó. Otros cuatro estados (Virginia, Tennessee, Arkansas y Carolina del Norte) engrosaron las filas de los sudistas. Al comenzar la guerra estos últimos contaban con 11 estados mientras que los del Norte conservaban 23. En un bando 9 millones de habitantes de los cuales 3,5 eran esclavos. En el otro 22 millones de habitantes de los cuales 300.000 esclavos. No obstante la guerra duró cuatro largos años.

La victoria de los antiesclavistas

Al estallar la guerra en 1861, los esclavos afluyeron de los estados fronterizos hacia el Norte para buscar refugio en los campos de los federales y aprovechar la ocasión para obtener su libertad.

En septiembre de 1862 se anunció la emancipación de los esclavos en los estados rebeldes a partir del primero de enero de 1863. Los propietarios abolicionistas y fieles a los nordistas que liberaron a sus esclavos recibieron 300 dólares de indemnización por cabeza.

En diciembre de 1863 el número de antiguos esclavos reclutados llegaba a los 50.000 y no hacía más que aumentar. A la vista de estos batallones negros, el Sur se enfureció y multiplicó las atrocidades contra los prisioneros de guerra negros.

La guerra finalizó el 9 de abril de 1865 con la rendición de los confederados al ejército del Norte. En el mismo año, en diciembre de 1865, la esclavitud fue suprimida en todo el territorio de la República.

Los esclavos se convirtieron en aprendices por siete años, trabajando hasta tres cuartas partes de su jornada para sus amos. Todos los niños menores de seis años fueron liberados en el acto. Pronto le llegaría el turno a Francia. El polemista Victor Schoelcher, tras sus viajes por América y las Antillas, centró su existencia en la lucha contra la esclavitud. A ello consagraría veinte años de su vida. Siendo subsecretario de Estado de Marina en el gobierno provisional de 1848, hizo votar la abolición en las colonias francesas. Los otros países siguieron su ejemplo más o menos rápidamente. El 31 de enero de 1865, al final de la guerra de Secesión, la enmienda decimotercera a la Constitución abolía la esclavitud.

Entre los negros la emancipación provocó una formidable explosión de alegría. Entre los colonos era el temor a ver hundirse la economía azucarera.

Los plantadores introdujeron varios sistemas para reemplazar a la mano de obra que faltaba

Se intentó reemplazar a los negros con «trabajadores libres» importados de Asia. China e India exportaron un millón. Esta inmigración forzosa adoptó a veces la forma de una nueva esclavitud. Se desarrolló sobre todo en las Guayanas inglesa y holandesa, en las islas de Trinidad y Mauricio y en África del Sur.

En las plantaciones de café del sur de Brasil fueron europeos (italianos, alemanes, españoles, portugueses) los que tomaron el relevo de los esclavos; el clima les sentaba bien y tenían la perspectiva de convertirse un día en pequeños propietarios.

Los antiguos esclavos liberados consiguieron poco a poco cultivar lo necesario para subsistir, se convirtieron en pequeños campesinos. Cuando había escasez de tierra volvían a trabajar en su antigua plantación, pero esta vez como obreros libres.

En realidad, la plantación azucarera perdió su importancia a fines del siglo XIX porque la agricultura europea se había dedicado a producir en abundancia remolacha azucarera.

La trata de negros modificó definitivamente el rostro de África y el de América. África al final de la Edad Media estaba orientada hacia el Mediterráneo. Sus estados más pujantes se encontraban en el interior, en el sahel y la sabana.

En el siglo XVIII se volvió hacia el Atlántico. Sus estados del interior, cuyos hombres y mujeres fueron

A inicios del siglo XIX en Brasil los negros gozaban de hecho de una gran independencia: si eran libres podían alcanzar un cierto bienestar, como estos libertos que muestra el grabado superior, que vendían frutas por cuenta propia. En cuanto a los esclavos, podían en principio reunir un peculio suficiente para comprar su libertad. El grabado inferior muestra una escena anterior a la independencia de Santo Domingo: con ocasión de una pequeña fiesta improvisada, los libertos se divierten. Desnudez o un simple taparrabos eran símbolos del trabajo servil. Los libertos mostraban de entrada su libertad por los cuidados en la vestimenta.

conducidos en esclavitud, se debilitaron. Los de la costa atlántica, que se aprovecharon del comercio negrero, se hicieron más poderosos.

En América la trata dio origen a fenómenos que los negreros nunca habrían imaginado: creación de estados negros en América: Haití, Jamaica, Trinidad, Tobago... Problema explosivo de la minoría negra en Estados Unidos. En fin, una herencia cultural

Las dos banderas que sujeta el águila americana con sus garras representan a los dos pasajeros de la barquilla: el blanco y el negro que arroja sus cadenas. Era el símbolo de la unidad americana y del progreso humano, lejos de la barbarie de la esclavitud.

repartida por el mundo entero: la música de los hijos de los esclavos, los espirituales negros y el jazz, la música afrocubana y las sambas brasileñas. Se sabe probablemente menos que el fin del comercio de la «madera de ébano» por los occidentales no entrañó la desaparición de la esclavitud en África. Una trata musulmana se prolongó hasta la segunda mitad del siglo XX. La esclavitud no fue suprimida en Arabia Saudí hasta 1963, y en la república islámica de Mauritania hasta... 1980.

En 1926, en la Sociedad de Naciones, fue firmada una convención internacional sobre la esclavitud. El 10 de diciembre de 1948, en París, la Organización de las Naciones Unidas adoptó el artículo 4 de su Declaración Universal de los Derechos Humanos que estipula: «Nadie podrá ser mantenido en esclavitud ni servidumbre. La esclavitud y la trata de esclavos están, en todas sus formas, prohibidas.» Cuarenta y un estados votaron a favor, ocho se abstuvieron por razones diversas.

Hoy en día todavía existe un comité de la esclavitud en la ONU. Sin duda no es inútil ya que hay razones para pensar que hay africanos que continúan siendo vendidos con ocasión de las peregrinaciones a La Meca.

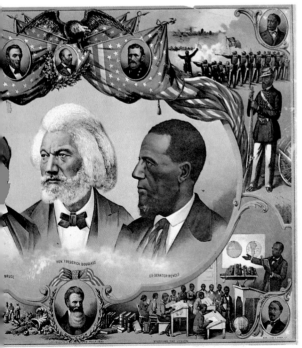

HON. FREDERICK DOUGLASS

BRUCE · EX-SENATOR REVELS

STUDYING THE LESSON

Tras la proclamación de la emancipación en 1863, firmada por Lincoln, las caricaturas alegres de este género florecieron en los periódicos: Lincoln era un héroe del cual América se gloriaría más tarde. Hijo de unos humildes pioneros en Indiana, Abraham Lincoln (1809-1865) descubrió a los dieciocho años las duras condiciones de vida de los esclavos en el Mississippi, lo que decidió el compromiso de toda su vida. Abogado, elegido para el Congreso, se dio a conocer por su postura abolicionista. Candidato republicano se convirtió en el decimosexto presidente de los Estados Unidos. El Sur esclavista se secesionó entonces, y dio comienzo la guerra civil (1860-1865). Lincoln no proclamó la emancipación de los esclavos hasta el primero de enero de 1863. Reelegido presidente en 1864, quiso reconciliarse con el Sur después de la guerra, con su política de reconstrucción. Pero fue asesinado en 1865 por un fanático sudista.

La esclavitud se apoyó en el racismo. Lo perpetuó. Probablemente haya sido ese su daño más terrible

En lo esencial, entretanto, la esclavitud como tal ha desaparecido de la tierra. Sin embargo un período tan trágico de nuestra historia, ¿no dejó acaso secuelas?

En 1816 se votaron en Nueva Orleans las primeras disposiciones de segregación entre blancos y negros en lugares públicos. Para establecer un control total y obtener su absoluta sumisión, los esclavistas trataron de inculcar en los negros el sentimiento de su inferioridad. Jamás convencieron los negros pero a menudo se convencieron a sí mismos.

El mayor peligro de la esclavitud fue probablemente el haber conducido

Este gran lienzo alegórico evoca el decreto del 27 de abril de 1848. Esta composición destaca los grandes sentimientos más que las reivindicaciones de libertad y de igualdad: generosidad de Francia y efusión de alegría y de gratitud por parte de los negros emancipados.

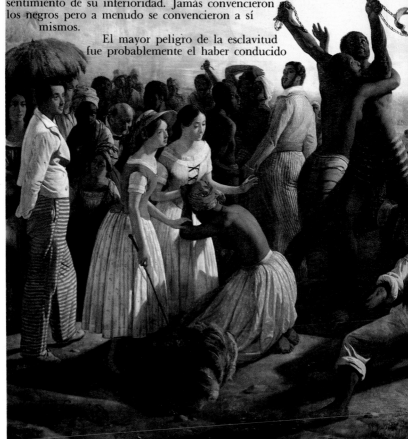

a los hombres a
actuar como si una parte
de la humanidad fuera
naturalmente superior
a la otra. Cuando
en 1624 fue bautizado en
Jamestown el primer niño
negro nacido en suelo
americano, no se le consideró
como un niño semejante a los otros.
La esclavitud no habrá desaparecido
verdaderamente del espíritu de los hombres.
hasta que todos piensen
que el pequeño bebé de
Jamestown era y debía ser
un niño como todos los
demás.

TESTIMONIOS
Y DOCUMENTOS

Relatos, polémicas, pruebas
fidedignas: el *dossier* de una
historia terrorífica.

Relatos y testimonios de negreros, plantadores, capitanes de navío

Desde su captura hasta la plantación, dependía en principio de la ley. Los distintos «códigos negros» aspiraban en teoría a reprimir los abusos, pero la ley raramente se aplicaba.

La injusticia y la revuelta

Si hasta el presente los plantadores me han forzado a aceptar que sus negros son tan felices como los animales que compraron en el mismo mercado, me jacto que no tendrán inconveniente en aceptar a su vez, que en este caso la comparación deja mejor parados a estos últimos, ya que no ocurre jamás que se castigue a un buey con tanto rigor como a un esclavo. (...)

¿Se atreve un negro a ofrecer resistencia a la violencia de un hombre libre? La ley lo condena a muerte. Una mujer blanca discutía, en un mercado de Cap-Français, con una negra; ésta se atrevió a abofetear a su adversaria, fue detenida, y la horca fue la pena para su crimen... Y los blancos pueden golpear, mutilar a su gusto a las gentes de color. Se vio a un joven cortar las orejas a seis esclavos que su padre le acababa de regalar... para reconocerlos. Se vio a un tonelero enfurecido matar con su doladera a todos los negros que le irritaban. Una negra que había robado un pato, recibió cuarenta latigazos, tras lo cual se la frotó con zumo de limón y pimienta, se la encadenó al aire libre y allí se la dejó durante quince días, para que acabara de expiar el horrible crimen del que se había declarado culpable. Un negro, después de haber osado forcejear con su amo que lo arrestó para hacerle azotar, fue tumbado boca abajo, con las extremidades bien estiradas y atadas a unos piquetes, y recibió quinientos latigazos administrados por cuatro capataces. (...)

Estas insurrecciones pronto caen en el olvido, ya que no tienen ni jefe que las dirija, ni armas para defenderse, ni prudencia para combinar sus medidas.

Benjamín Frossard,
La causa de los esclavos (1789)

Los que estaban en contra...

Iba yo un día a casa de un mercader que me había llamado; me enseñó varios cautivos, entre otros a una mujer de unos veinte o veintidós años, muy triste, hundida en su dolor, con el pecho un poco colgante, pero repleto, lo que me hizo suponer que había perdido a su hijo. Se lo hice preguntar al mercader, que me contestó que no tenía nada. Como a esta desgraciada mujer le estaba prohibido, bajo pena de muerte, hablar, para asegurarme mejor de su situación se me ocurrió presionarle el pezón, del que salió leche, suficiente para cerciorarme de que la mujer estaba criando.

Yo insistía en que ella tenía un hijo, y el mercader negaba siempre; impaciente no obstante por mi insistencia, me llegó a decir que al fin y al cabo eso no debía impedirme comprar a la mujer, porque por la tarde su hijo sería arrojado a los lobos. Me quedé desconcertado, estaba dispuesto a retirarme, para reflexionar sobre esta horrible acción, cuando la primera idea que me vino a la cabeza fue que podía salvar la vida de este niño. Acto seguido, dije al mercader que compraría a la madre a condición de que me dejara al hijo. Me lo hizo traer de inmediato, y se lo devolví a su madre, que no sabiendo cómo mostrarme su reconocimiento cogió un poco de tierra con su mano y se la arrojó sobre la frente.

Si bien en esta ocasión no había hecho más que lo que toda persona honesta hubiera hecho en mi lugar, me fui de allí con un sentimiento delicioso y a la vez mezclado con el horror; pero estaba tan satisfecho como nunca jamás lo había estado.

Pruneau de Pommegorge,
Descripción de la negritud (1789)

La suerte de los negros en las plantaciones

(...) Cada choza está separada por un espacio de unos quince a veinte pies, donde los negros tienen algunas aves de corral y un cerdo. Sus camas están en unos pequeños vanos abiertos en la pared. Están hechas con dos o tres tablas apoyadas en travesías. Estas planchas de madera a veces están cubiertas con una estera de hojas de palmera o de paja de mandioca; un tronco de madera sirve de cabecera. El mobiliario está integrado por algunas calabazas, un banco, una mesa y utensilios de madera.

Los negros tienen por toda vestimenta unos calzoncillos y una casaca. No van calzados. Pero los días de fiesta, cuando han logrado hacer algún ahorro, presumen de sus adornos.

Los alimentos de los negros son los ñames, las bananas, la mandioca, las patatas, etc. Cada hacienda tiene un depósito común, donde se almacenan estos alimentos, y se distribuyen a los esclavos según las existencias. En muchas islas se adjudica también a cada negro un lote de tierra para cultivar, a una cierta distancia de la casa y con el permiso de vender el producto o emplearlo en su provecho. La trabajan los días de fiesta, y a mediodía, después de haber preparado y comido su almuerzo. Cuando los víveres son suficientes para su mantenimiento y su vivienda está cercana a un pueblo, llevan allí los domingos sus verduras, frutas y aves de corral, y el dinero que consiguen contribuye a endulzarles algo su suerte. Sin embargo, cuando están obligados a vivir únicamente del producto de su huerto, lo que sucede cuando los amos avariciosos no hacen plantar suficientes provisiones, y una sequía destruye sus pequeñas cosechas, entonces su situación se hace verdaderamente insoportable. Es cierto que en las islas francesas los magistrados que se encargan de la vigilancia general de las haciendas, y los capitanes de los barrios hacen una ronda cuatro veces al año para controlar si el depósito de los víveres esta bien mantenido. ¿Pero es la ley tan sabía como para no poder eludirse?

Benjamin Frossard,
La causa de los esclavos (1789)

Testimonios de negreros
La plantación de Santo Domingo

«Señor,
Después de nuestra última de Burdeos, el 1 de octubre tenemos el honor de confirmaros que nuestro Señor Chauvet ha llegado con buena salud. Rápidamente ha recabado los informes que el Sr. Perier padre le había rogado tomara de la mansión del Sr. Marqués de la Chapelle, en Limonade, y he aquí el resultado:
1) el suelo es bueno y bonito.
2) produce de 300 a 340 mil kilogramos de buen azúcar.
3) empieza a agotarse.
4) introduciendo 10 negros por año hasta alcanzar el número de 300 y estando bien administrada, se podrían alcanzar los 400.000 kilogramos de buen azúcar.
5) el emplazamiento es muy ventajoso tanto por proximidad a la ciudad como por la del mar para la explotación de los productos.
6) esto bien vale de 1.100.000 a 1.200.000 libras tornesas comprándola a buen precio.
7) serían necesarias 300 cabezas de negros para esta hacienda; los que hay están en bastante buen estado pero no son suficientes. En fin, ésta es una de las más bellas haciendas con que contamos en los alrededores de Cap y a la vez una de las más

Caña de azúcar de las Antillas.

lucrativas. En relación con la gestión, generalmente se daba un 10 por 100 a un procurador, calculado unas veces sobre el producto neto y otras sobre el bruto; tampoco hay un administrador. Se trata de llegar a un acuerdo en torno a las 3.000 ó 4.000 libras tornesas, según su capacidad.

Y esto es todo, señores, lo que les podemos informar de lo que ustedes nos habían pedido, esperamos gustosos que les haya servido y que el Sr. Perier padre haya adquirido este ingenio azucarero... Podríamos también entablar negocios con vuestra casa de Marsella, Mrs. P. Chazel y Cía. Si nos trata bien le haremos envíos mayores. Estamos en condiciones de hacerle pasar de 200.000 a 300.000 libras tornesas de mercancías por año porque es el puerto al que nosotros enviamos más... Vuestro humilde y obediente servidor.»

Carta de Chauvet et Lafaye a Claude Perier, Le Cap.

Los esclavos en la literatura

Desde finales del siglo XVII la esclavitud ocupó un puesto relevante en la producción literaria de Occidente. Se la denunciaba bajo distintas formas bien que fueran filósofos como Montesquieu o Voltaire, o novelistas o poetas como Bernardino de Saint-Pierre o Lamartine.

Los negros buenos

Como no podían reponerse de su sorpresa, vieron de pronto a Domingo que acudía hacia ellos. Cuando llegó el buen negro, que lloraba de alegría, se pusieron ellos también a llorar, sin poder decirles ni una palabra. Al recobrar Domingo la sensatez «¡Oh mis jóvenes amos!, les dijo ¡cuán inquietas están vuestras madres! ¡qué sorprendidas se han quedado cuando no os han encontrado a la vuelta de misa, adonde las había acompañado yo! María, que estaba trabajando en una de las esquinas de la mansión no ha sabido decirnos adónde os habíais ido. Yo iba y venía por toda la hacienda, sin saber por qué lado buscaros. Al final, he cogido ropa vieja de uno y otra y he hecho que la olfateara Fidel; y en el campo, como si el pobre animal me hubiera entendido, se ha puesto a buscar vuestra pista; me ha guiado todo el tiempo moviendo el rabo, hasta el río Negro. Allí ha sido donde he sabido de boca de un propietario que le habíais llevado a una negra cimarrona, y que él había acordado con vosotros su perdón. Pero, ¡vaya un perdón! Me la ha enseñado atada, con una cadena en el pie, a un tronco de madera, y con una collera de hierro de tres ganchos alrededor del cuello.» (...)

Pablo y Virginia ya no podían caminar, sus pies estaban hinchados y rojos. Domingo no sabía si debía alejarse de allí en busca de ayuda, o pasar la noche en ese lugar con ellos. «¿Dónde está el tiempo, les decía, en que os llevaba a los dos a la vez en mis brazos? pero ahora vosotros habéis crecido y yo me he hecho viejo.» Cuando estaba en estas disquisiciones, un grupo de negros cimarrones se dejó ver a unos veinte pasos de allí. El jefe de la banda, acercándose a Pablo y a Virginia, les

Ilustración de 1853 para *La cabaña del Tío Tom*.

dijo: «No temáis mis buenos y pequeños blancos; esta mañana os hemos visto pasar con una negra del río Negro; ibais a pedir su perdón a su despiadado amo. En reconocimiento, nosotros os llevaremos sobre nuestro hombros hasta vuestra casa.» Entonces hizo una señal, y cuatro negros cimarrones de los más robustos hicieron en seguida una parihuela con ramas de los árboles y lianas, colocaron a Pablo y a Virginia, y se las pusieron sobre los hombros; y con Domingo a la cabeza, que llevaba su antorcha, se pusieron en marcha mientras la comitiva lanzaba gritos de alegría y les colmaba de bendiciones. (...)

Bernardin de Saint-Pierre,
Pablo y Virginia, 1787

«Razones de las que sirven para excusar la esclavitud de los negros»

Se dice, para disculpar la esclavitud de los negros comprados en África, que estos desgraciados son o bien criminales condenados a la última pena, o bien prisioneros de guerra, a los que se habría dado muerte si no hubieran sido comprados por los europeos.

A partir de este razonamiento, algunos escritores nos presentan la trata casi como un acto humanitario. Sin embargo haremos notar:

1. Que este hecho no está probado e incluso no es verosímil. ¡Vaya! Antes que los europeos comprasen a los negros, ¡los africanos mataban a todos sus prisioneros! Asesinaban no sólo a las mujeres casadas como ocurría, según dicen, en

otros tiempos entre los miembros de una cuadrilla de ladrones orientales, sino también a las jóvenes doncellas, lo que nunca se ha relatado de pueblo alguno. ¡Cómo! Si no fuéramos a buscar a los negros a África, ¡los africanos matarían a los esclavos que ahora destinan a la venta! ¡Cada uno de los dos partidos preferiría matar a sus prisioneros en vez de cambiarlos! Para creer hechos inverosímiles, son necesarios testimonios de peso, y nosotros aquí sólo contamos con los de las gentes empleadas en el comercio de negros. No he tenido nunca la ocasión de tratarme con ellos; sin embargo entre los romanos había algunos libertos metidos en el mismo comercio, y su nombre es todavía una injuria.

2. Suponiendo que se salva la vida de los negros que se compran, no deja de cometerse un crimen al comprarlo, si es para revenderlo o convertirlo en esclavo. Es precisamente la acción de un hombre que, después de haber salvado a un desgraciado perseguido por asesinos, le robara. O bien, si se supone que los europeos han llevado a que los africanos ya no maten a sus prisioneros, ésta sería la acción de un hombre que habría llegado a disuadir a los bandidos de asesinar a los viajeros, y los hubiera convencido para que se contentaran con robarles aliados con él. ¿Diríamos en un caso o en otro que este hombre no es un ladrón? Un hombre que, para salvar a otro de la muerte diera de lo suyo estaría sin duda en el derecho de exigir una compensación; podría adquirir un derecho sobre los bienes e incluso sobre el trabajo del que ha salvado. (...)

Condorcet
Reflexiones sobre la esclavitud de los negros, II, 1781.

El regreso a la residencia del propietario de una plantación en Brasil

El precio del azúcar

Cuando se acercaba a la ciudad, encontraron a un negro tumbado en el suelo, con sólo la mitad de su ropa, es decir, unos calzones de tela azul; a este pobre hombre le faltaban la pierna izquierda y la mano derecha. «Oh, Dios mío, le dijo Cándido en holandés, ¿qué haces ahí, amigo mío, en ese estado tan lamentable en que te veo? —Espero a mi amo, el señor Vanderdendur, el conocido comerciante, respondió el negro.

—¿Es el señor Vanderdendur el que te ha tratado así? dijo Cándido. —Sí, señor, dijo el negro, es la costumbre. Se nos da un calzón de tela por toda vestimenta dos veces al año. Cuando trabajamos en los ingenios azucareros y la rueda nos arranca un dedo, nos cortan la mano; cuando nos queremos fugar, nos cortan una pierna: yo he pasado por las dos situaciones. A este precio tomáis vosotros el azúcar en Europa.»

Voltaire,
Cándido, Cap. XIX.

Es a mi hijo a quien quieren vender

Elisa al acercarse a la puerta había oído suficiente como para comprender que un comerciante hacía ofertas para comprar algún esclavo.

Hubiera querido quedarse en la puerta para escuchar, pero en ese mismo instante su ama la llamó: se tenía que ir.

Creyó entender no obstante que se trataba de su hijo... Podía equivocarse... Su corazón se hinchó y latió fuertemente. Involuntariamente estrechó contra su pecho al niño con tal fuerza, que la pobre criatura se volvió todo sorprendido para mirar a su madre.

«¡Elisa! pero, hija mía, ¿qué os pasa hoy? dijo el ama viéndola como cogía un objeto por otro, tiraba el costurero y le presentaba un camisón en vez de una prenda de seda que le había pedido.

Elisa se paró en seco. «¡Oh! señora, dijo alzando los ojos al cielo, luego, deshaciéndose en lágrimas, se dejó caer en una silla y sollozó.

—Y bien, Elisa, niña mía... pero ¿qué es lo que os pasa?

—¡Oh, señora, señora! había un comerciante que hablaba con el señor en la sala; ¡lo he oído!

—Y bien, loca, ¿qué sería eso?

—¡Ah, señora! ¿creéis que el señor querría vender a mi Enrique?»

Y la pobre criatura se dejó caer de nuevo en la silla con sollozos convulsivos.

«¡No!, boba; sabéis que vuestro amo no hace negocios con los mercaderes del sur, y que no tiene por costumbre vender a sus esclavos mientras se porten bien... Y además, mira que es usted tonta, ¿quién querría comprar a vuestro Enrique y para qué? ¿creéis que el mundo le mira con los mismos ojos que usted? Vamos, seca tus lágrimas, cuelga mi vestido y péiname... ya sabes esas trenzas tan bonitas cogidas por detrás, como te enseñaron el otro día... y no escuches nunca detrás de las puertas.

—No, señora...; pero usted no consentiría que...

—¡Qué locura! ¡oh, no!, no lo consentiré. ¿Para qué volver sobre eso? me dolería lo mismo ver vender a uno de mis hijos, pero, de verdad, Elisa, os mostráis demasiado orgullosa de este pequeño caballero... Nadie puede introducir la nariz en la casa sin que penséis que es para comprarlo.»

Tranquilizada incluso por el tono de su ama, Elisa la arregló con rapidez y terminó por reírse de sus propios temores.

La señora Shelby era de una naturaleza superior en cuanto a sentimientos e inteligencia. Su marido que no profesaba ninguna religión en particular, tenía en la mayor estima la religión de su esposa.

Harriet Beecher-Stowe,
La cabaña del tío Tom, 1850.

«El derecho de convertir a los negros en esclavos»

Si yo tuviera que defender el derecho que hemos tenido para convertir a los negros en esclavos, he aquí lo que diría:

Los pueblos de Europa habiendo exterminado a los de América, han tenido que esclavizar a los de África, para roturar tantas tierras. El azúcar sería demasiado caro si no fueran esclavos los que trabajaran la planta de la que se obtiene.

Estos de los que se trata son negros de los pies a la cabeza; y tienen la nariz tan aplastada que es casi imposible compadecerlos. Es difícil aceptar la idea que Dios, que es un ser tan sabio, haya puesto un alma, sobre todo un alma buena, en un cuerpo todo negro.

Es tan natural al pensar que es el color el que constituye la esencia de la humanidad que los pueblos de Asia, al hacer eunucos, privan siempre a los negros del mayor parecido que tienen con no caían en sus manos.

Una prueba de que los negros carecen de sentido común, es que hacen más caso de un collar de vidrio que del oro, que en las naciones civilizadas tiene tan gran trascendencia.

Es imposible que supongamos que estas gentes sean hombres, porque si pensamos que son hombres, se empezaría a creer que no somos cristianos.

Los espíritus débiles exageran demasiado la injusticia cometida con los africanos. Ya que si fuera tal y como dicen, ¿no se les habría ocurrido a los príncipes de Europa, que tantas convenciones inútiles hacen, elaborar una convención general en favor de la misericordia y de la piedad?

Montesquieu,
Del espíritu de las leyes,
Libro XV, Cap. V, 1748.

Nègres de l'Ile St. Domingue.

Nº 88

El Código negro

El Código negro de 1685, decretado por los franceses, principalmente para apoyar el catolicismo en sus colonias, continuó considerando a los esclavos negros como bienes muebles y no les otorgó ninguna protección contra las brutalidades físicas de sus amos. He aquí algunos de sus artículos más significativos.

El Código negro

(...) 2. Todos los esclavos que residan en nuestras islas serán bautizados e instruidos en la religión católica, apostólica y romana. Ordenamos que los habitantes que compren negros recién llegados, adviertan, en el plazo máximo de ocho días, al gobernador y al intendente de dichas islas, bajo pena de multa arbitraria; éstos darán las órdenes pertinentes para inscribirlos y bautizarlos en un tiempo conveniente.

3. Prohibimos el ejercicio público de otra religión que no sea la católica, apostólica y romana; queremos que los contraventores sean castigados como rebeldes y desobedientes a nuestros mandatos. Prohibimos todas las agrupaciones con este cometido, a las que declaramos conventículos, ilícitos y sediciosos, sujetos a la misma pena que tendrá lugar incluso contra los amos que los permitieran, o sufrieran con respecto a sus esclavos.

5. Prohibimos a nuestros súbditos de la religión pretendidamente reformada crear trastornos o impedimentos a nuestros otros súbditos, incluso a sus esclavos en el libre ejercicio de la religión católica, apostólica y romana, bajo pena de castigo ejemplar.

6. Ordenamos a todos nuestros súbditos, al margen de su cualidad y condición, observar los días de domingo y fiestas que son observados por nuestro súbditos de religión católica, apostólica y romana. Les prohibimos trabajar y hacer trabajar a sus esclavos en dichos días. (...)

7. Les prohibimos igualmente celebrar mercado de esclavos, y de

«Soy hombre y nada de lo que interesa al hombre me es ajeno.»

otras mercancías en dichos días, bajo penas similares de confiscación de mercancías que se encontraran entonces en el mercado, y de multa arbitraria contra los mercaderes. (...)

11. Prohibimos muy expresamente a los curas casar a los esclavos si no cuentan con el consentimiento de su amos; prohibimos también a los amos usar cualquier tipo de coacción sobre sus esclavos para casarlos en contra de sus gustos.

12. Los niños que nazcan de matrimonios de esclavos serán esclavos y pertenecerán a los amos de las esclavas, y no a los de los maridos, en caso de que marido y mujer tengan amos diferentes.

13. Queremos que si el marido esclavo se ha casado con una mujer libre, los niños, tanto machos como hembras sean de la misma condición de la madre, y sean libres como ella, no obstante la esclavitud del padre; y que si el padre es libre y la madre esclava, los niños sean esclavos igualmente.

14. Los amos tendrán que hacer enterrar en tierra consagrada, y en los cementerios destinados a tal efecto, a sus esclavos bautizados, y por lo que respecta a aquellos que mueran sin haber recibido el bautismo, se les enterrará de noche en algún campo cercano al lugar donde murieran.

15. Prohibimos a los esclavos llevar cualquier arma ofensiva, incluso bastones gruesos, bajo pena de latigazos, y de confiscación de las armas en beneficio de aquel que las encontrara, exceptuando sólo a aquellos que fueran enviados por sus amos a cazar, y que fueran portadores de sus tarjetas o marcas conocidas. (...)

18. Prohibimos a los esclavos vender caña de azúcar, sin ningún tipo de excepción, incluso si fuera con el permiso de sus amos, bajo pena de latigazos contra los esclavos, de diez libras tornesas contra el amo que lo hubiera permitido, y de igual suma contra el comprador.

19. Les prohibimos poner a la venta en el mercado, y llevar a las casas particulares para vender, cualquier tipo de mercancía, incluso frutas, verduras, hierba para la alimentación del ganado y sus manufacturas, sin permiso expreso de sus amos, por medio de una tarjeta, o por marcas reconocibles; bajo pena de reclamar las cosas así vendidas, sin devolución del precio por los amos, y de seis libras tornesas de multa para su provecho en contra de los compradores.

21. Permitimos a todos nuetros súbditos habitantes de las islas, de incautarse de todas las cosas que llevaran los esclavos, cuando éstos carezcan de tarjetas de sus amos y de marcas reconocibles, para devolverlas inmediatamente a sus amos, si su residencia está próxima al lugar donde los esclavos hayan sido sorprendidos en delito, en caso contrario serán enviadas al depósito para ser allí depositadas hasta que los amos hayan sido advertidos.

22. Los amos estarán obligados a abastecer, cada semana, a sus esclavos de más de diez años, para su alimentación, de dos jarros y medio, medida de París, de harina de mandioca, o tres canastos de dos libras y media de peso cada una como poco, u otra cosa equivalente, junto a dos libras de carne salada, o tres libras de pescado, u otras cosas en proporción.

Y a los niños, una vez destetados y hasta los diez años, la mitad de los víveres ya señalados.

La abolición de la esclavitud

En 1865, la proclamación definitiva de la emancipación de los negros proporcionó la libertad a tres millones de esclavos. Tres de cada cuatro esclavos eran analfabetos y estaban desprovistos de tierras, dinero y trabajo. La supresión de la esclavitud, si bien resolvió entonces muchos problemas, provocó otros nuevos.

«...Yo Abraham Lincoln, presidente de los Estados Unidos en virtud del poder que me ha sido conferido como comandante en jefe del ejército y de la marina de los Estados Unidos en un momento de rebelión armada efectiva contra la autoridad y el gobierno de los Estados Unidos, y como medida de guerra conveniente y necesaria para aniquilar la susodicha rebelión, en este primer día de enero de 1863, y en consonancia con mi propósito de actuación en este sentido, públicamente proclamado, ordeno y declaro que todas las personas poseídas como esclavas en los Estados y partes del Estado a continuación indicadas son libres y lo serán en el futuro; y que el gobierno ejecutivo de los Estados Unidos, incluidas sus autoridades militares y navales, reconocerá y mantendrá la libertad de las susodichas personas.

Y ordeno aquí a las personas así declaradas libres de abstenerse de toda violencia, salvo en caso de legítima defensa; y les recomiendo, cada vez que les sea posible, trabajar fielmente a cambio de salarios razonables.

Y declaro y hago saber además que aquellos de estos individuos que estuvieran en estado de hacerlo, serán aceptados en el servicio militar de los Estados Unidos para el servicio de guarnición en los fuertes, posiciones fortificadas, establecimientos y otros lugares, y para servir a bordo de los buques de todo tipo de susodicho servicio.

Y sobre la presente acta, con la sincera creencia de que es un acto de justicia, legitimado según la Constitución por la necesidad militar, invoco el juicio benevolente de la humanidad y el favor gracioso de Dios Todopoderoso.»

Lincoln, 1862

Esclavos fugitivos, agosto 1862

Testimonio de un esclavo después de la abolición

El final de la guerra ha llegado de repente, como se chascan los dedos... unos soldados, todo de golpe. Salían por todas partes —llegaban a montones, por doquier, a pie, a caballo. Todo el mundo cantaba. Caminábamos todos sobre nubes doradas. ¡Aleluya!

La Unión nunca más
¡Hurra, los mozos, hurra!
Puedo ser pobre
pero no seré nunca esclavo
y lanzo el grito de guerra de la
[libertad

Todo el mundo se volvió loco. Nos sentimos como héroes, y nadie más que nosotros mismos nos había emocionado de esta forma. Éramos libres. Justamente eso, éramos libre. Y esto no parecía ya dar rabia a los blancos.

Citado por Godfrey Hodgson

E l negro viejo (a la izquierda)

L a hacienda (en alto a la izquierda).

L a evasión (encima).

L a huida

L a emboscada (debajo).

C imarrones (en alto a la izquierda).

L a captura (abajo a la izquierda).

L os sueños (en el centro).

L a condena

L a ejecución (al lado).

Los últimos negreros

La esclavitud, practicada intensivamente durante varios siglos, no se suspendió de un solo golpe. Ni mucho menos. En varios puntos del mundo se ha prolongado hasta el siglo XX bajo formas diversas y con motivaciones diferentes.

Encuentro con la caravana de esclavos

Podría describir uno a uno los terribles esplendores de este descubrimiento perpetuo, de esta verdadera exploración a lo largo de la cual tuvimos que corregir continuamente el mapa, modificar los itinerarios de nuestros escasos predecesores. Se han grabado de forma indeleble en mi memoria, en mis sentidos, estos recuerdos ardientes y maravillosos, ya que habría que tener la sangre verdaderamente pobre y los nervios débiles para no quedar profundamente marcado por esta revelación de la soledad, de la belleza y de la muerte. (...)

Dos de nuestros hombres y el joven guía nos alcanzaron en el umbral de un oscuro corredor rocoso. Lo franqueamos con rapidez. Ante nosotros se abrió una nueva meseta, vacía. Entonces el guía volvió sobre sus pasos y, a la mitad del pasadizo, nos enseñó una especie de chimenea secreta y apenas visible. Nos quedamos perplejos ante la fisura desde la cual un único tirador mediocre podía a golpe seguro abatir a toda nuestra caravana. Pero no tuvimos mucho tiempo para reflexionar. Said apareció en el estrecho pasadizo.

—He reconocido las voces de mis amigos, dijo a nuestro intérprete. Que me sigan.

La fisura medía unos cincuenta metros. Un centinela al que ya habíamos visto en el poblado araguba la vigilaba. Detrás se abría un circo minúsculo en cuyo centro había un charco de agua encerrado en una cavidad rocosa. Un fuego que la disposición de los lugares nos había ocultado resplandecía en la penumbra.

A su alrededor, reconocimos con sobrecogimiento unos rostros hocicudos marcados por la servidumbre, en

persecución de los cuales habíamos caminado de día y de noche. Habíamos encontrado la caravana misteriosa, la caravana de esclavos.

Eran once, siete mujeres y cuatro hombres. Miraban al fuego sin hablar. De vez en cuando se masajeaban los magullados pies. No les habían puesto trabas. El desierto danakil era el más seguro de los guardianes...

No podíamos separar nuestros ojos del increíble espectáculo que nos recompensaba ampliamente de todas las fatigas y todos los peligros. Nacidos en la sabana del Sudán, arrebatados por los cazadores de hombres comprados por Said, los esclavos caminaban hacía semanas·y semanas hacia un nuevo destino. Indiferentes, embrutecidos, esperaban su alimento para dormirse.

Selim: la captura

Selim dormía profundamente, pero nosotros, a pesar de esta jornada de esfuerzo agobiante, no pudimos imitarle. Escuchábamos el rumor del misterio, de la sombra, y temblábamos ligeramente, a la vez de fiebre y de esa emoción sagrada que experimenta el hombre civilizado cada vez que regresa a su condición primitiva.

Llegó el alba. Selim se despojó de su tela de algodón, se coló por la entrada del corredor que él había preparado, y allí, sin ningún temblor en sus músculos tensos, tumbado sobre el vientre, espió, con los ojos clavados en el sendero, por donde, la víspera, había desaparecido el escaso rebaño.

Nosotros le mirábamos con un secreto terror, apenas osábamos respirar. Empezábamos a comprender.

Del mismo modo que el naciente día empezaba a producir reflejos en el agua del río, las esquilas sonaban débilmente en la montaña. Su sonido se acercó... Llegaba a nosotros cada vez más nítido, cada vez más angustioso... Pasaron unas cabras.

Y Selim se arrojó.

Fue verdaderamente el resorte de una fiera. Ni un ruido en el arranque, ni un ruido en la caída. Sencillamente un manojo de músculos que, por su propia fuerza, se desplaza en el aire.

La muchachita que seguía al rebaño no tuvo el tiempo de lanzar un gemido. Envuelta, amordazada por la tela de algodón, se convirtió en un pequeño paquete indefenso.

Joseph Kessel,
Mercado de esclavos

«Os cruzáis con ellos por las calles, en vacaciones, incluso sin verlos: 50 millones de esclavos en el mundo»

Desde el 5 de julio de 1980 no existe oficialmente ningún esclavo en el mundo.

Aquel día, el último país esclavista, la república islámica de Mauritania, ponía fin, por decreto, a una plaga que había marcado a la humanidad desde sus primeros balbuceos. Comenzaba una nueva era de fraternidad.

Hoy, la subcomisión de los Derechos del Hombre en Ginebra, duda en lanzar las campanas al vuelo. El tráfico de esclavos es todavía próspero. Sólo en Mauritania se cuentan 125.000, sin mencionar a los libertos cuya suerte es aún peor. En el continente africano a pesar de las guerras y de los golpes de estado, las caravanas continúan encaminando sus convoyes de mano de obra esclava y de jóvenes adolescentes vírgenes hacia Arabia y el océano Índico. En las embajadas de las capitales europeas seres humanos se ven negar aún el derecho de existir legalmente. Por centenares de miles se contaban las víctimas de la trata de negros hace dos siglos; por millones se han convertido en la mercancía de un tráfico que se reparte hoy día por el mundo entero. «Sin embargo, nos revela Fred St-James tras su larga y peligrosa encuesta, una cosa no ha cambiado, los esclavos son siempre negros y los amos siempre blancos.»

La esclavitud fue abolida en Inglaterra en 1833 y en Francia quince años después. Un siglo y medio después los esclavos son diez o doce veces más numerosos que entonces y sus servidumbres más

C aravana de esclavos en África en la frontera del Niger y de Nigeria en 1972.

insoportables. Las cifras son aterradoras y vergonzosas: millones de seres humanos están siendo explotados en el mundo, de los cuales una buena mitad depende de verdugos despiadados. Entre estos 50 millones de sometidos que no levantarán jamás la cabeza, no incluimos a las prostitutas voluntarias, a los niños abandonados a sí mismos, a los drogados que bullen a las puertas de las grandes metrópolis como Calcuta, Bombay, Bogotá, Nápoles, Bangkok o Río. En caso contrario las cifras serían aún más astronómicas. (...)

En este «cuarto mundo», hay verdaderos esclavos, del tipo de los principios de siglo; vendidos en los mercados al mejor postor, después de haber tenido que enseñar sus dientes, su lengua, levantar su vestido, o entreabrir la blusa en el caso de las mujeres o el pantalón en el caso de los hombres, del mismo modo que los tratantes de ganado palpan a los animales en los mercados ganaderos.

Uno de estos «comicios humanos» se celebra con regularidad (anunciado con grandes carteles publicitarios en la prensa local) en Dholpur-Morena, en el estado de Madhya Pradesh (India) dirigido por un pariente de Radjiv Gandhi. Muchas veces, incluso demasiado a menudo, la policía y las autoridades locales están conchabadas con los negreros más influyentes en el mercado internacional.

Un investigador local nos dijo: «Una de las personalidades más influyentes en este tipo de mercado, y que siempre se mantiene en la sombra y del cual no se posee ninguna fotografía reciente, es un cierto Bahadur Laleh, de origen musulmán, un hombre temible que lleva las riendas de todos los burdeles, restaurantes de mala fama y clubs nocturnos del estado. Todos los jefes de policía, los gobernadores, los jefes de la guarnición militar se sientan a su mesa. Él se esfuerza en corromper a un gran número, y lo consigue con facilidad.

Pero, ¿dónde empieza la ley y dónde se terminan las tradiciones ancestrales?

Nuestro interlocutor prosigue:

«Cuando el personal de la administración local o de la policía cambia, se suceden las redadas y los arrestos. Duran un cierto tiempo, luego van disminuyendo. Vuelve la calma y los nuevos funcionarios lentamente van cogiéndole gusto a la corrupción. No es muy raro que un policía de alto rango se haga habitualmente con doscientos dólares por esclavo vendido. Sus adjuntos y colaboradores próximos se tienen que contentar con algunas migajas.»

Según la subcomisión de los Derechos del Hombre de las Naciones Unidas, e igualmente según los funcionarios de la Cruz Roja o los miembros de la Sociedad Antiesclavista, esta cifra terrorífica irá en aumento de aquí a fin de siglo. Es cierto que la esclavitud ha sido oficialmente abolida en la casi totalidad de las naciones llamadas civilizadas. Es cierto que cada vez se encuentran menos caravanas como las del siglo pasado con seres humanos encadenados y sólo en alguna ocasión se venden mujeres o jóvenes en las plazas públicas de Sudán o de Arabia Saudí. Sin embargo el negocio sobrevive; es una de las mayores plagas de este final del siglo XX y es aún más floreciente en Beirut, ciudad martirio, Manila-ciudad-burdel, o Río-ciudad-basura, y a veces incluso en el interior de nuestras más modernas capitales...

Fred Sain-James,
Paris Match, marzo 1986

Cuestionario referido a la esclavitud y a la trata de esclavos en todas sus prácticas y manifestaciones, incluidas las prácticas análogas a la esclavitud del Apartheid y del colonialismo

Este cuestionario fue sometido en abril de 1981 a juicio de todos los estados miembros de las Naciones Unidas.

La «esclavitud» es el estado o la condición de un individuo sobre el que se ejercen los atributos del derecho de propiedad u otros de ellos;

La «trata de esclavos» comprende todo acto de captura, adquisición o cesión de un individuo con vistas a reducirlo a la esclavitud; todo acto de cesión por venta o intercambio de un esclavo adquirido con vistas a venderlo o cambiarlo, así como, en general, todo acto de comercio o de transporte de esclavos.

Misionero liberando a unos esclavos en Saint-Louis de Oubangui, en el Congo francés.

Las «instituciones y prácticas análogas a la esclavitud» comprenden:

a) La servidumbre por deudas. (...)

b) La servidumbre. (...)

c) Toda institución o práctica en virtud de la cual:

1) Una mujer es prometida o dada en matrimonio, sin que tenga derecho a rehusar, mediante una contrapartida en metálico o en especie entregada a sus padres, a su tutor, a su familia o a otra persona o grupo de personas; (o)

2) El marido de una mujer, la familia o el clan de éste tienen el derecho a cederla a un tercero, a título honorífico o de otra forma; (o)

3) La mujer puede a la muerte de su marido, ser heredada por otra persona.

d) Toda institución o práctica en virtud de la cual un niño o un adolescente de menos de dieciocho años sea remitido, bien por sus padres o por uno de los dos, bien por su tutor, a un tercero mediante un pago o no, con vistas a la explotación de la persona o del trabajo de dicho niño o adolescente.

La expresión «trabajo forzado u obligatorio» designa todo trabajo o servicio exigido a un individuo bajo la amenaza de una pena cualquiera y para lo cual dicho individuo no se ha ofrecido por su propia voluntad.

La acepción de los términos «la trata de seres humanos y la explotación de la prostitución ajena» es la de la Convención para la represión y la abolición de la trata de seres humanos y de la explotación de la prostitución ajena, de 1949. (...)

Título III

La esclavitud, el trabajo forzado o una institución o práctica análoga a la esclavitud tal y como han sido definidas anteriormente, ¿existen bajo cualquiera de sus formas en vuestro país? En caso afirmativo:

1. ¿Cuáles son su naturaleza y su forma?

2. ¿Cuáles son las causas o las razones de su existencia?

3. ¿Qué obstáculos o que dificultades se oponen a su eliminación?

4. ¿Qué medidas han sido tomadas o se toman con vistas a su eliminación?

Título IV

¿Qué medidas han sido tomadas por vuestro gobierno para prohibir la explotación del trabajo de los niños y para asegurar su protección?

Título V

¿Qué medidas legislativas, administrativas o de otro tipo han sido tomadas o se toman y cuáles otros métodos han sido aplicados para impedir o eliminar la trata de esclavos? (...)

Sir Roger Casement (a la izquierda): su informe sobre el Congo puso en marcha una campaña internacional para terminar con las atrocidades perpetradas en dicho país.

Título VI

¿Las autoridades de vuestro país están especialmente comprometidas en la lucha contra la esclavitud, la trata de esclavos o las instituciones y prácticas análogas a la esclavitud? En caso afirmativo, ¿cuáles son estas autoridades y cuáles son sus funciones y poderes en la materia? ¿Qué medidas administrativas se han tomado recientemente para asegurar la aplicación de la legislación de vuestro país en este terreno?

Informe sobre la esclavitud presentado por Benjamin Whitaker Naciones Unidas, Nueva York, 1984

El «problema negro» en Estados Unidos

A partir de la abolición, la tensión no dejó de aumentar entre blancos partidarios de una segregación y blancos defensores de la igualdad social (los nordistas). Este sentimiento degeneró en odio. Un odio que suscita después de más de un siglo, enfrentamientos de una violencia inaudita y que abriría un foso a menudo dramático entre blancos y negros americanos.

La unanimidad en torno a un recuerdo

Si Martin Lutero King volviera ahora a la tierra, no dejaría de sorprenderse del carácter surrealista de la situación: odiado, en vida, por muchos de sus compatriotas blancos, mirado a veces con desconfianza por algunos de sus hermanos negros más radicales, veinte años después de su asesinato en Memphis, se ha alcanzado la unanimidad y su nombre es respetado como el de un gran americano.

Prueba de esta veneración: a partir de 1986, conforme a una ley votada por el Congreso en 1983, el lunes 20 de enero —el tercero del mes— será festivo en recuerdo del antiguo dirigente de la lucha por los derechos civiles. Sólo antes que él, George Washington y Cristóbal Colón, fueron honrados de esta forma. El día de Martin Lutero King se convierte así en el décimo día festivo del año en Estados Unidos.

Esta festividad, destinada a sellar de forma duradera la concordia entre las comunidades blanca y negra de los Estados Unidos, no se aceptó con facilidad. Hicieron falta quince años de esfuerzos y la obstinación de un representante demócrata de Michigan, M. John Conyers, para obtener una votación favorable en el Congreso. El ex presidente Reagan, adversario en los años sesenta de la lucha de los negros por la igualdad racial, se resignó finalmente a firmar un texto legislativo al que de entrada se había opuesto. Y, olvidando el pasado y las acusaciones de «simpatías comunistas» que lanzara antaño contra el pastor negro, apóstol de la no violencia, he aquí que hoy en día lo considera «un heraldo de la justicia».

Marcha sobre Washington que reunió a 200.000 negros y blancos, en agosto de 1963.

Harlem (en alto). Panteras negras en Broocklyn (abajo).

Incluso el gobernador de Alabama, George Wallace, célebre en otros tiempos por sus convicciones segregacionistas, formó un comité para coordinar las ceremonias en honor de Martin Lutero King. Bien es cierto que George Wallace, racista arrepentido, debe su sillón de gobernador, obtenido de nuevo en 1982, al voto de los negros a su favor.

El «sueño» del pastor King de un mundo de fraternidad, donde blancos y negros pudieran sentarse «a la misma mesa» ¿se ha realizado ya? A la vista de ciertas realidades sociales y económicas de los Estados Unidos, la respuesta no está clara. La segregación institucional, tal y como existía aún en 1955, cuando Martin Lutero King lanzó contra la discriminación el movimiento de boicot de los autobuses de Montgomery (Alabama), ciertamente ha desaparecido. La adopción, en 1964, de la ley sobre los derechos civiles, además de otros textos en los años siguientes garantizan a los negros las condiciones jurídicas de igualdad. No es pequeña la victoria.

Manuel Lucbert,
Le Monde, 20-1-86

Harlem

En los años veinte, los negros de Nueva York y los venidos del sur se habían precipitado hacia Harlem, despreciado por los blancos, y habían ocupado los inmuebles abandonados. En los años treinta, una pareja de Harlem ocupaba la mitad de una habitación o se integraba en un grupo que había adquirido el derecho de disfrute de un apartamento durante ocho horas al día —incluyendo el uso de las camas y de la cocina. La promiscuidad, los salarios de hambre, la miseria rompían la pareja. (...)

Una mujer abandonada, sin recursos, por el hombre, con un alojamiento que pagar, unos hijos que alimentar y sin formación profesional tenía pocas posibilidades de encontrar trabajo. Entonces arrastraba su desesperacón a un gueto donde por falta de espacio, los jóvenes vivían en la calle, se integraban en bandas, aprendían a luchar por la vida a puñetazos y a navajazos. El juego, el chantaje, la prostitución cundían. Muchas de las calles del gueto tenían un burdel. La calle era el reino del ladrón y del rufián. (...)

Ningún otro gueto del país conocía la efervescencia de Harlem. Es cierto que Chicago se convirtió en la «ciudad de los blues» y el barrio de Bourbon Street en Nueva Orleans seguía ocupando un lugar destacado en la música; el futuro «profesor» Longhair, que no tenía más que catorce años, reunió una pequeña orquesta, y bailaba en la calle. Pero nada era comparable a la época excepcional de fantasía y de ingenio que iluminaba a Harlem.

La edad de oro tocó a su fin con la segunda guerra mundial. No se podían montar espectáculos en los clubs si no se pagaba un impuesto del 20 por 100 para las necesidades de la guerra. Muchos clubs, faltos de medios, renunciaron a los espectáculos. «Y entonces, decía Jefferson, la violencia comenzó a llegar a las calles. Hubo trifulcas de barrio, tumultos. Se cerraron las salas de baile, los clubs. Y los chavales cayeron en el desenfreno. Dijeron: "Adiós al mundo". Y comenzaron a vivir como si fuera el último día.»

Claude Flèouter,
La memoria del pueblo negro

Escena de linchamiento de negros en Estados Unidos.

Octubre 1966
Partido de los Panteras negras

1. Queremos la libertad. Queremos el poder de decidir el destino de nuestra comunidad negra.

2. Queremos el pleno empleo para nuestro pueblo.

3. Queremos que cese el pillaje de la comunidad negra por parte de la blanca.

4. Queremos alojamientos decentes pensados para acoger a seres humanos.

5. Queremos la educación de nuestro pueblo, una enseñanza que nos muestre la verdadera naturaleza de la decadente sociedad americana. (...).

6. Queremos que se exima a todos los negros del servicio militar.

7. Exigimos que se ponga término inmediatamente a las brutalidades policiales y a las muertes de negros.

8. Queremos la libertad inmediata a todos los prisioneros negros detenidos en las prisiones y penitenciarias federales, del estado, del condado y de los municipios.

9. Queremos que todos los negros cuando comparezcan ante un tribunal, sean juzgados por un jurado compuesto por sus iguales, o por gentes que procedan de la comunidad negra, como lo estipula la Constitución de los Estados Unidos.

10. Queremos tierra, pan, alojamientos, enseñanza, ropa, justicia y paz, y como objetivo nuestro principal: un plebiscito supervisado por la Organización de las Naciones Unidas que se celebre en el seno de la «colonia» negra, y en la que no puedan participar más que los

E l Ku Klux Klan de gran gala.

individuos negros «colonizados», para decidir la voluntad del pueblo negro en relación con su destino nacional.

Citado por Bobby Seale,
Al acecho

El Ku Klux Klan

El Ku Klux Kan, sociedad americana fundada durante la guerra de secesión, propugna acciones racistas antinegras y también antijudías.
En el desfile de Pulaski, mientras que el cortejo pasaba por la esquina de una calle donde se encontraba un negro, un caballero de alta talla, ataviado con sus horribles pertrechos, se salió de la fila, echó pie a tierra y tendió sus riendas al negro, como si le pidiera que sujetara al caballo. El africano aterrorizado, sin atreverse a rehusar, tendió la mano para coger las riendas. En ese mismo instante, el Ku Klux separó su cabeza de sus hombros e hizo el gesto de colocarla también en la mano tendida. El negro no esperó a que le dijeran que se fuera y huyó con un alarido de terror. Hasta aquí, él os contaría: «Lo ha hecho, seguro que lo ha hecho, amo. Se lo he visto hacer.» La túnica estaba ataba por una cuerda fina sobre la cabeza. Encima iba un cráneo falso hecho con una calabaza gorda o con papel maché. Resultaba fácil quitarlo con el gorro y de ese modo el que lo llevaba parecía no tener cabeza. Se llegaba así a hacer creer a los negros —muchos aún lo creen— que los Ku Klux podían desmontarse, a voluntad, en piezas sueltas. (...)

Los blancos de clase baja... tienen unos sólidos prejuicios en contra de los negros, porque compiten con ellos como mano de obra no cualificada, y desde que empezó el conflicto, estas gentes se constituyeron en clan, atacaban a los negros que encontraban y los maltrataban... Por ejemplo, un blanco alquila una tierra a un negro. Otro blanco cualquiera la desea, el propietario prefiere dársela al negro. Para castigar al negro, el blanco que pretende el alquiler reúne a un grupo de vecinos y, disfrazados, azotan al negro dejándolo medio muerto. (...)

Fusilaron a un hombre de color llamado Joe Kennedy, y golpearon a su mujer que tenía la piel de color claro. Su queja contra Joe Kennedy era que se había casado con esta mulata.

Extractos de declaraciones,
citados por G. Hodgson

Sueños y mentiras sobre la raza negra

Desde los tiempos más remotos el hombre ha asimilado el color negro a la noche. La noche atemorizaba a los primeros hombres. La noche se ha asimilado al mal. Toda una confusa «teoría» racista ha querido explicar la Historia por la lucha entre las razas.

Hoy en día los países occidentales prácticamente ya no tienen colonias. Pero el estatuto político de estos estados recientemente independizados no ha cambiado forzosamente las mentalidades, ni los rostros del racismo.

El negro tiene dos dimensiones. Una con sus congéneres, otra con los blancos. Un negro se comporta de manera diferente con un blanco que con un negro. Nadie duda que esta escisión sea la consecuencia directa de la aventura colonial... Que se nutra fundamentalmente de diferentes teorías que han querido hacer del negro un eslabón intermedio entre el mono y el hombre, nadie se atreve a negarlo. Son evidencias objetivas, que expresan la realidad.

Sin embargo cuando se ha tomado en cuenta esta situación, cuando se ha entendido, se cree que la tarea ha terminado. Cómo entonces no escuchar de nuevo, hundiéndose en los caminos de la historia, esta voz: «No se trata ya de interpretar el mundo, sino de transformarlo.» (...)

El negro es un hombre negro; es decir, que debido a una serie de aberraciones afectivas, se ha encerrado en el seno de un universo, del cual habrá que hacerle salir.

El problema tiene importancia. Nosotros tendemos nada menos que a liberar al hombre de color de sí mismo. Avanzaremos muy lentamente, ya que hay dos campos: el blanco y el negro.

Con tenacidad, interrogaremos a las dos metafísicas y veremos que son frecuentemente muy disolventes.

No tendremos piedad alguna con los antiguos gobernantes, con los antiguos misioneros. Para nosotros, el que adora a los negros está tan

«enfermo» como el que los detesta.

Al contrario, el negro que quiere blanquear a su raza es tan desgraciado como el que predica el odio al blanco.

En términos absolutos, el negro no es más amable que el checo, y verdaderamente se trata de liberar al hombre. (...)

El negro quiere ser blanco. El blanco se empeña en conseguir una condición de hombre.

El blanco está encerrado en su blancura.

El negro en su negritud. (...)

Es un hecho: los blancos se consideran superiores a los negros.

Es también un hecho: los negros quieren demostrar a los blancos, cueste lo que cueste, la riqueza de su pensamiento, su igual fuerza de espíritu.

¿Cómo salir de ahí? (...)

Hace ya unos diez años que quedamos sorprendidos al constatar que los norteafricanos detestaban a los hombres de color. Nos era verdaderamente imposible relacionarnos con los indígenas. Abandonamos África en dirección a Francia sin haber comprendido la razón de esta animosidad. No obstante algunos hechos nos hicieron reflexionar. Al francés no le gusta el judío, al cual no le gusta el árabe, al cual no le gusta el negro... Al árabe, se le dice: «Si sois pobres es porque el judío os ha timado, os ha cogido todo»; al judío se le dice: «No estáis en las mismas condiciones que los árabes porque de hecho sois blancos y tenéis a Bergson y a Einstein»; al negro se le dice: «Sois los mejores soldados del imperio francés, los árabes se creen superiores a vosotros, pero se equivocan.»

Franz Fanon,
*Pieles negras,
máscaras blancas.*

Un concepto impreciso: las razas humanas. El color de la piel no tiene que ver gran cosa con la genética

El carácter espontáneamente tomado en consideración para definir las razas es el identificado con mayor facilidad: el color de la piel. Se trata de un carácter evidentemente hereditario, sometido a un determinismo genético muy riguroso. Pero este determinismo es muy mal conocido.

Recordemos de entrada que, contrariamente a una opinión extendida, los distintos colores de la piel son el resultado, en lo esencial, de la densidad en la epidermis de un pigmento único, la melanina, presente tanto entre los blancos como entre los amarillos o los negros, aunque en dosis muy variadas. Por tanto, las diferencias constatadas son sobre todo cuantitativas y no cualitativas. En el seno de un mismo grupo la dispersión es en general muy grande, la diferencia entre dos individuos de una misma población puede ser mucho más grande que la constatada entre las medias de dos grupos pertenecientes a «razas» distintas. En un reciente estudio titulado «La cuadratura de las razas», Andrè Langaney (49) hace notar que se puede pasar sin discontinuidad de los hombres de piel más clara (los europeos del norte) a los de piel más oscura (los sara del Chad) escogiendo a los intermedios sólo entre dos poblaciones (los norteafricanos y los bosquimanos).

Los estudios sobre cruces entre negros y blancos y entre sus descendientes han mostrado que este carácter se comporta de manera muy mendeliana: todo sucede como si estuviera gobernado por cuatro pares de genes que tienen efectos adicionales; el mecanismo real es sin

'Race blanche.   Race ro

duda mucho más complejo, pero este simple modelo da cuenta muy bien de las observaciones. En esta óptica los «blancos» poseen ocho genes b que generan un color claro, los «negros» ocho genes n que generan un color oscuro. Todos los intermedios son posibles según el valor del número x de genes b y del número $8-x$ de genes n.

El grupo de «negros americanos», ciudadanos de los Estados Unidos catalogados «negros», permite confirmar este modelo genético. Este grupo, muy heterogéneo, está constituido por todos los americanos del norte que tengan entre sus antepasados a africanos deportados como esclavos desde el siglo XVII hasta mediados del siglo XIX; sus genealogías reales incluyen también a un buen número de europeos; las jóvenes negras que tenían un hijo de su amo blanco traían al mundo a un «negro». La comparación de las

Race jaune.　　　Race noire.

Las cuatro razas, según *La vuelta a Francia de dos niños*, editado en 1900.

frecuencias de ciertos genes en las poblaciones africanas de la región del golfo de Benín, fuente principal de la marea de esclavos, en las poblaciones anglosajonas de Europa y en el grupo de «negros americanos» permite estimar en torno al 25 por 100 la aportación de genes «blancos» en este grupo. (...)

Finalmente constatamos que si bien el color de la piel es el carácter más evidente, el más fácil de comparar, no corresponde más que a una parte ínfima de nuestro patrimonio genético, no está ligado a ningún otro carácter biológico importante; no puede por tanto servir de ninguna manera para una clasificación significativa de las poblaciones.

Albert Jacquard,
Elogio de la diferencia

En 1837, Frederic Portal, diplomático e historiador, describe el negro bajo el signo del simbolismo de los colores

«Símbolo del mal y de lo falso, el negro no es un color, sino la negación de todos los matices y de lo que representan. Así el rojo designará el amor divino; unido al negro, será el símbolo del amor infernal, del egoísmo, del odio y de todas las pasiones del hombre degradado...

«El negro tenía que ser símbolo del error, de la nada, de lo que no existe... El negro es la negación de la luz: fue atribuido al autor de todo mal y de toda falsedad.»

Inspirándose en Portal, Montabert redactó un manual para los artistas en el que se encuentran catalogados los distintos símbolos asociados a estos dos colores opuestos, el negro y el blanco:

«El blanco es el símbolo de la divinidad o de Dios. El negro es el símbolo del espíritu del mal o del demonio.

»El blanco significa la belleza suprema.

»El negro la falsedad.

»El blanco es el símbolo de la inocencia.

»El negro el de la culpabilidad, del pecado o de la degradación moral.

»El blanco, color fastuoso, indica la felicidad.

»El negro, color nefasto, indica la desgracia.

»El combate del bien contra el mal se indica simbólicamente con la oposición del negro colocado junto al blanco.»

William B. Cohen,
Franceses y africanos

Los negros en el cine

El cine ha desempeñado un papel de promoción considerable en las relaciones entre blancos y negros. Ha favorecido la aparición de una élite intelectual negra, de la misma forma que los deportes de alta competición, el jazz o, más recientemente, los grandes cantantes negros clásicos.

Si queréis soy un negro

Griffith fue el realizador genial, pero era un verdadero indeseable. Su película más célebre, *El nacimiento de una nación* (1915), es una ignominia: no se ha hecho nada mejor de género racista fanático. Al narrar la historia de una noble familia de Carolina del Sur, muestra a los esclavos viviendo felices bajo la autoridad benevolente de sus amos blancos. Cuando sobreviene la guerra civil, los negros se amotinan. Pronto sólo hay ruina, pillajes, abusos de todo tipo. Hará falta la intervención de un puñado de caballeros valientes, encapuchados, para poner en su sitio a los negros y devolver el honor al viejo Sur.

De este modo Griffith asimilaba el nacimiento de los Estados Unidos al nacimiento del Ku Klux Klan. Incluso teniendo en cuenta la mentalidad de la época, iba un poco demasiado lejos.

Sin embargo, lo más importante para la historia del cine negro, es que Griffith acababa de establecer —¡y con qué fuerza!— un cierto número de estereotipos de los cuales mal podrían deshacerse los actores afroamericanos: el esclavo feliz, el músico, el bufón ridículo, la nodriza devota, el salvaje que cae en la bestialidad desde el momento que escapa a la tutela civilizadora del blanco, el mulato corrupto, la mulata sensual descontenta con su condición, el negro cobarde y supersticioso al que un capirote y una sábana son suficientes para aterrorizar... Todos los clichés, que ya existían en la literatura, el teatro y el cine, Griffith los llevó de golpe a su punto de incandescencia, y las hogueras encendidas en *El nacimiento de una nación* tardarían cuarenta años en apagarse.

En la misma época, otro

estereotipo, aunque fabricado con las mejores intenciones del mundo, resultó igualmente pernicioso: se trata del héroe de *La cabaña del tío Tom*, un best-seller llevado en cinco ocasiones a la pantalla entre 1903 y 1927. Para la autora, Harriet Beecher Stowe, se trataba de un manifiesto abolicionista. ¿Cómo en efecto no compartir las desgracias y sufrimientos de estos «negros buenos» que, como perros fieles, no se amotinaban jamás contra sus amos y respondían a los insultos y a los malos tratos con una devoción sin límites?

Mucho más tarde, los militantes negros verían en esta aceptación estoica de la opresión, el máximo de alienación. Sin embargo, entretanto, tales clichés tenían todavía por delante mucha vida, y se puede decir que, en el cine americano de antes de la guerra, los negros se limitaban a dos funciones esenciales: servir a los blancos y divertirlos. Se ve muy bien en *Cotton Club*: los blancos están en la sala, los negros en la escena y en las cocinas. (...)

Al contrario que los artistas blancos que, como Judy Garland, Doris Day o Frank Sinatra, podían sin problemas cambiar de registro, los artistas negros se veían a menudo arrinconados en su función de «divertir». La mayor parte de ellos, como Louis Armstrong (*High Society, Hello Dolly*) o Cab Calloway (incluido en los *Blues Brothers*) no escaparía a ese estado a la vez prestigioso y marginal de *guest star*.

L *a cabaña del tío Tom*, de William Robert Daly, 1914.

LA CASE DE L'ONCLE TOM

Lo que el viento se llevó, de Fleming, 1939.

El actor Sidney Poitier, *En el calor de la noche*.

Del lado de los criados, el horizonte también estaba todo cerrado. Llevaban como emblema una etiqueta. Estaba la criada atolondrada, chillona y siempre aterrorizada o el criado perezoso y cobarde. Poco más valorados estaban el tío Tom o la «mami» tranquilizadora y devota, de generosas proporciones.

Más tarde se reprochó a los negros la imagen que, a pesar suyo, habían dado de su raza. Sin embargo, como decía Hattie McDaniel, la nodriza de Scarlett: «¿Por qué me iba a quejar de ganar 7.000 dólares por semana representando el papel de una sirvienta? Si no lo hubiera hecho, hubiera ganado 7 siéndolo.»

Algunos actores habían intentado insuflar a sus personajes fuerza y dignidad: Rex Ingram (el señor de *Las verdes praderas*) o Paul Robeson (*El emperador Jones*). Pero habían llegado demasiado temprano.

Sidney Poitier, por el contrario, llegaba en buen momento. Después de haber combatido a la Alemania hitleriana, los americanos tenían algunos escrúpulos en mostrarse abiertamente racistas. Los negros, por su parte, estaban hartos de verse representados bajo el aspecto de «negro bueno», dispuesto a sacrificarse por sus amos, o del «negro malo», que no servía más que para comer sandías, robar pollos y destrozar la lengua inglesa.

De golpe Sidney Poitier se introdujo en un dominio hasta entonces reservado a los blancos: los papeles de médico, psiquiatra, profesor, periodista o detective. Poitier era inteligente, culto y sabía comportarse correctamente en la mesa. Se le podía invitar a cenar y se le podría conceder incluso, en un caso extremo y siendo verdaderamente muy liberal, a la hija en matrimonio.

Para la burguesía negra en ascenso, Poitier era el modelo a seguir. Era la antítesis de los bufones grotescos que inundaban las pantallas. Había asimilado y dominado los valores de los blancos. Con él el foso sociocultural entre las dos comunidades finalmente se había colmado. Poitier era el ideal integracionista hecho hombre. (...)

Pero se estaba a fines de los años sesenta. Los jóvenes negros habían desertado de las marchas de la paz para prender fuego a los guetos. Tenían necesidad de modelos, más cercanos a Malcolm X que a Martin Lutero King. Querían ver a los negros poderosos y victoriosos. Al igual que Sidney Poitier, Jim Brown llegó en el momento oportuno.

Antiguo campeón de fútbol, rodó por las pantallas con su metro noventa, sus ciento diez kilos y su metro veinte de contorno de pecho. Su carisma y su sorprendente presencia física, recordaban a los Rex Ingram y Paul Robeson de antaño. Era fuerte, arrogante, autoritario y exhalaba una sexualidad intensa. Sus películas contenían generalmente una o más escenas de amor tórrido: con

Raquel Welch (*Cien fusiles*), Marianna Hill (*El Cóndor*). Jim Brown borraba de un plumazo tres siglos de humillación. Fue el héroe de la etapa separatista, como Poitier lo había sido de la era integracionista.

Y, por supuesto, a su vez se convirtió en un cliché.

Por la brecha abierta por el ex futbolista se precipitaron los nuevos héroes del gueto vestidos de forma llamativa y con facha de cobarde: Shaft, el rufián-detective a prueba de balas (Richard Roundtree), Superfly, el proveedor de cocaína (Ron O'Neal)...

Moraleja: los estereotipos son como los Gremlins. Cazad uno, vendrán diez mil. No se les puede ignorar, forman parte de nuestro subconsciente. ¿La solución? Identificarlos, luego volverlos del revés para desactivarlos mejor. Es lo que tan bien han comprendido los nuevos actores negros, como Richard Pryor o Eddie Murphy.

Una vez puesto al público de su lado, podían permitirse algunos retratos devastadores de sus hermanos de raza: campesinos, chulos, predicadores, Panteras negras y carteristas, todo un pequeño mundo a lo Chester Himes que se encontrará en sus películas. Los nuevos actores negros asumen su identidad étnica, no reniegan ya de su dialecto, y si los blancos todavía tienen a bien imitarlos (Gene Wilder en *Transamérica Express*), ellos no tienen problema en reemplazarlos (*Un sillón para dos*). Desarmados no se ríen ya de ellos, sino con ellos. Ni serviles ni arrogantes, puede que estén a punto de ganar con el humor la gran batalla de la igualdad.

Marion Vidal

El jazz

El jazz cuenta ya con más de setenta años. No nació en África pero fueron los descendientes de los esclavos arrebatados a la tierra africana los que lo inventaron en Estados Unidos. El gran jazz clásico nació en lugares complicados y difíciles de situar con exactitud. Sin embargo, lo que se puede afirmar con certeza es que antes de ser música pura y música de baile, el jazz fue canto, ritmo, poesía y religión.

Tras el final de la Guerra de Secesión, otros negros llegaron libremente de las Antillas y sus ritmos exóticos se fundieron en el molde de Nueva Orleans. Otros negros marcharon a las islas del Caribe y a Cuba donde entraron en contacto con los países de lengua latina. Más tarde, en nuestros días, volverían a mezclar sus ritmos afro-cubanos con el jazz moderno. (...) Fue la lengua inglesa la que permitió a los negros africanos crear un habla original que es la base del elemento primordial del jazz: el swing. Las voces de los negros son en conjunto guturales, pero también dulces. Sus lenguas originarias, que son muy desarticuladas, hacen un gran consumo de consonantes. Sus palabras nos parece que están unidas, contenidas o que se deslizan. Al enfrentarse con las lenguas latinas en las que los acentos tónicos están principalmente colocados al final de las palabras, los negros no modifican gran cosa su ritmo. Esta facilidad de pronunciación, no la encontarían en la lengua inglesa. Entonces escamotearían más sensiblemente las sílabas débiles y, por contraste, acentuarían las tónicas principales. (...)

Los espirituales parece que fueron creados por los esclavos de la tercera y cuarta generación desembarcados en América del Norte, hacia finales del siglo XVIII. Sus autores son desconocidos. Los gospels son mucho más recientes; los primeros datan de los años veinte y treinta de nuestro siglo. (...)

(...) Los gospels son más rítmicos y hechizantes, retomando así la costumbre africana de la «posesión por el Dios». Uno y otro son habitualmente diálogos entre un predicador o un fiel inspirado y la asistencia o un coro organizado. Avanzan en grupos de cuatro u ocho

La orquesta de Joe King Cliver, San Francisco 1921.

medidas cada una de ellas, en sus orígenes, con cuatro tiempos. Creados en el seno de las comunidades negras, durante mucho tiempo se transmitieron oralmente. Se comenzó a recogerlos y anotarlos a mediados del siglo XIX. Muchos coros profesionales tratan desde entonces de irradiar por todas partes, de manera bastante espectacular, los cantos más conmovedores. (...)

Los blues rurales. Es seguro que durante la esclavitud existían cantos con la apariencia de los blues; los antiguos cantos de trabajo, los primeros espirituales, las músicas de fiestas y de entretemiento poseían todas, si no la forma, al menos la sonoridad de los blues.

Los primeros cantantes de blues profesionales al final de la Guerra de Secesión fueron viejos esclavos sin instrucción ni cualificación. Se trataba de cantantes ambulantes que recorrían el Sur, con la guitarra en bandolera. De forma estridente, áspera, intensa, con melancolía o con un humor estoico, interpretaban blues campesinos. (...)

Después de que a principios de los años veinte fueran grabados los primeros blues, un gran número de artistas se dieron a conocer. Ciertamente después de un período de relativa oscuridad, todavía están hoy de actualidad.

Andrè Francis.

BIBLIOGRAFÍA

Ansón, Luis M.ª: *La Negritud*, Rev. de Occidente, 1971.

Aptheker, H.: *Las revueltas de los esclavos negros americanos*, Siglo XXI, 1978.

Asimov, Isaac: *Historia Universal. Los Estados Unidos: desde la guerra civil*. Trad. Míguez, Néstor. Alianza Ed., 1986.

Fanon, F.: *Peau noir, masques blanches*, Seuil, 1952.

Fogel, Robert William: *Tiempo en la cruz. La economía esclavista en los Estados Unidos*. Trad. de Firpo, Arturo. Siglo XXI, 1985.

Fholen, Claude: *Los negros en los Estados Unidos*. Trad. de García Jacas, Jorge. Oikos-Tau, 1973.

Genovese, G.: *Esclavitud y capitalismo*. Ariel, Barcelona, 1971.

Izard, M.: *Esclavos y negreros*, Ed. Bruguera, 1975.

Jacquard, A.: *Eloge de la difference*, Seuil, 1978.

Klein, Herbert S.: *La esclavitud africana en América Latina y el Caribe*. Trad. de Sánchez Albornoz, Graciela. Alianza Ed., 1986.

Mannix, D. P., y Cowley, M.: *Historia de la trata de negros*. Alianza Ed., 1970.

Menéndez del Valle, Emilio: *África negra, dominio blanco*. Pequeñas editoriales, 1974.

Olano, Antonio D.: *África a sangre y fuego*. Ed. Doncel, 1975.

Saco, J. A.: *Historia de la esclavitud*, Júcar, Gijón, 1974.

Smucker, Bárbara: *Huida al Canadá*, Ed. Noguer, 1984.

Stampp, K. M.: *La esclavitud en Estados Unidos; la institución peculiar*. Oikos-Tau, 1966.

La trata negrera del siglo XV al XIX. Trad. de Segura i Mas, Serbal, 1981.

CRONOLOGÍA DE LA ABOLICION

Supresión de la trata

1803 Supresión de la trata en Dinamarca.

1808 Supresión oficial de la trata por Estados Unidos e Inglaterra.

1815 El tratado de Viena sienta el principio de la supresión internacional de la trata (Inglaterra, Francia, Austria, Prusia, Rusia).

1827 Inicio de la represión eficaz de la trata en Francia.

1835 Supresión de la trata por España.

1839 Supresión de la trata por Portugal.

1840 La trata clandestina cada vez es reprimida de forma más eficaz.

1850 Supresión de la trata en Brasil.

1860 Desaparición casi total de la trata europea.

1862 Último envío clandestino conocido de esclavos de Mozambique a Brasil.

Supresión de la esclavitud

1784 Primer atenuante de la esclavitud en las colonias inglesas.

1794 Supresión teórica de la esclavitud en las colonias francesas (por la Convención).

1818 Condena del principio de la esclavitud en el Congreso de Aix-la-Chapelle.

1833 Supresión teórica de la esclavitud por el Parlamento inglés.

1834/1838 Aplicación más o menos completa en las colonias inglesas.

1848 Supresión de la esclavitud en las colonias francesas (II República).

1856, 1871 y 1888 Supresión progresiva de la esclavitud en Brasil.

1860 Supresión oficial de la esclavitud en las colonias holandesas (Insulindia).

1861/1865 Guerra de Secesión en Estados Unidos y supresión de la esclavitud.

1862 Abolición en las Antillas holandesas.

1866/1871 Supresión de la esclavitud en las colonias españolas (Cuba).

1876 Supresión oficial de la esclavitud en Turquía.

1878 Abolición de la esclavitud en las colonias portuguesas.

1885 Conferencia de Berlín: medidas contra la esclavitud.

1888 Abolición de la esclavitud en Brasil.

1890 Segunda Conferencia de Berlín para el tema de la esclavitud en África.

1926 El 25 de septiembre: Convención Internacional sobre la Esclavitud.

1948 Artículo 4 de la Declaración Universal de los Derechos del Hombre, confirmado por la convención de 1956.

PROCEDENCIA DE LA FOTOGRAFÍAS

Archives IGDA, Milán, 62-63. Ph. Bernard Nantet, París, 29h, 52-53. BBC Hulton Picture Library. Londres 71bg, 110-11, 116-117, 149h, Bettmann Archive, Nueva York, 74-75, 76, 124, 125b, Bibl. Forney París 159. Bibl. Nac. París, 15, 23, 24b, 24-25, 30-31, 33, 44, 50h, 55h, 68-69, 77, 103h, 133h, 133b, 135, 138, 139h, 144g, 144-145h, 144-145b, 145h, 145b, 146h, 146b, 146-147, 147h, 147b. Bulloz, París 90. Camera Press, London 150. Charmet, París 14, 18-19, 22, 28g, 29b, 34-35, 36-37, 46-47h, 48, 60-61, 60b, 61b, 67, 70b, 72g, 91, 94, 94-95, 96b, 96n, 96-97, 100, 101, 102, 104, 106, 106-107, 108, 109h, 109b, 111d, 114, 115, 122-123h, 122-123b, 125h, 140, 152, 160-161, Cinémathèque francaise, París, 164. Cinestar 163b, 164b, Clichés Ville de Nantes, 35d, 37d, 45m, 45m, 45b, 49, 65b, Ph. coll. Kessel, 148, 149b, Coll. PPP, París 70h, 103b, 118h, 118b, 119, 120-121, 130, 131, 168h, 169. Droits réservés 38g, 38d, 39g, 39d, 40-41, 134, 164h. Edimages, París, 158, 159g. Edimédia, París, 71bd, 86, 87b, 88-89, 105, 126-127, 136-137, 137b, 155. ET Archives, Londres 46-47b, 50b, 66, 73, 78-79, 80-81, 82-83, 84-85h, 84-85nb. Giraudon, París 17g, 17d, 20b. Imapress, 153. Lauros Giraudon, París 28d, 107d, Library of Congress, Washington, 143h. Mary Evans Picture Library, Londres, 51, 54h, 54-55, 56, 57, 64-65h, 72d, 87h, 98-99, 110, 139b. Mas, Barcelone, 16, 112-113. Magnum, París, Bruce Davidson, 154. Magnum, París, Mirchell, París 159. Musée de la Marine, París 58-59. Oronoz, Madrid 92-93. Radio Time Hulton Picture Library, Londres 128. Rockefeller Folk Ar. Center, Williamsburg, Virginia, 20h. Roger-Viollet, París, 142, 143b, 166, 167, 168-169.

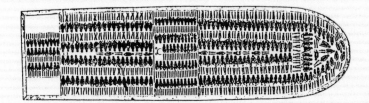

ISBN: 84-03-60060-7. Depósito legal: M. 32.706-1989
Printed in Spain. Impreso en España por Unigraf. Móstoles (Madrid)

Índice